王朔——著

致女儿书

北京出版集团公司
北京十月文艺出版社

目录

自序

人老了就没皮没脸了。我必须承认到岁数了。随时都有破罐子破摔的念头倏起忽落。这小书拿出来发也属于破摔一类。觉得自己挺不要脸的。谴责久了就想：就这么不要脸！想当遗书写也是真的三年前。写了不发死后再发顶遗产的决心下过也是真的。显然真的也不是多宝贵，说话就贬值。因为，人不死，老活着，时间嗖嗖地飞过，瞧着还要且活一阵儿，就要从长计议了，事儿不大，只是中年危机、焦虑什么的，没到生死关头，自己把自己个儿想紧张了，自己给自己个儿制造了一恐怖气氛。总的说来，出这书再次证明了我是不甘寂寞的、虚荣的、拿亲情出来卖钱——那怎么了？我就这样。瞧不惯我别买呀。就跟你多正经似的。谁也没求着你。我这书不想男的看。男的一肚子脏心眼儿，张嘴儿就是脏问号。我这书是写给女性亲属看的，女儿嘛。希望读者，有相同经历，心路心路滴，是五、六、七那三个十年代的，上世纪。八、九以后的想看，上世纪的，也不反对——是女的就成。我认为女的比较关心人、本身的潜在可能，能聊到一块儿去。男的分工好像是管物质交易、社会关系那一部分，所以特爱比较价格，分高下，什么都放在一起比，特讨厌。我们这里是聊可能性、潜在的，本来就闹不明白还没到可以拿来交易的程度的东西，男的插进来猛一听经常听不懂，还得装什么都懂，比谁都懂，就他懂就他对，知道好歹例外，傻精傻精的一个个的在我看来。

有一天聊小时候的愿望，我说我一直其实特想被人养起来，别人说你这心理完全是一女的心理，我想了想，说：还真是。这也没什么丢人的。我就拿自己当一女的要求了。我们女的从小挨坑，每月疼半拉礼拜，不太关心谁比谁精，都你们精行了吧，你们知道什么和什么互相一换就能多出几张纸来，这几张纸拿哪儿去都能还换出东西来，就你们家纸多，你们机灵，比人会算，叫人精儿，简称鸡贼。

我们比较关心谁比谁——人比人，有什么不同，不一样，好多点，还是坏多点，不比货！疼有多疼，疼一般什么时候来，来的时候多长，什么时候能过去，实在过不去怎么办？小说、文学就是聊这个，分析人，还有性——的。所以女的爱看小说，也懂小说，简称知音。

男的一边待着去，一边关心你们的国家社会和人民的苦难去吧，看你们能解决什么问题——问题还不都是你们闹的，一帮假鲁！真瞧你们谁和谁打起来了，一天到晚互相比，比实力，比装备，互相拍唬，互相吹。小说，你们看不懂，这是写人的，不是写武器的。

昨儿一女的又被男的惊着了，说男的怎么这么看女的啊原来不知道，这回一深聊，什么呀，都特落后那观念，特封建。这还是不错的，表现得像有文化的，爱上拍场的，儒商呢；还有次的、次的不知多少轮次下去的呢。我说：你更可该惊了。她说我太失望了，太沮丧了。烂分析了半天，我说：也是女的惯的。男的也不都不是东西，女的也不都是东西，各有各的是东西和不是东西；男孩就还行；女人、老婆子、娘儿们，眼睛瞪得跟铃铛似的，瞳孔写着仨字儿，爱我钱！而且急急的，必须需要，现在就要——也不是东西！结论是孩子都行，男孩女孩都好，不分性别，那就是岁数大不好喽，岁数是一比较操蛋的东西，能把一人平白从好变成比较次，也不能完全这么说吧？这不成骂人了？老而不死谓之贼？咱不学孔先生瞧不起人，把人分等儿，把年龄分段儿，哪年龄段儿，哪等儿人，哪性别，都有好的次的，合得来合不来的，瞧着顺眼不顺眼的，好人还有滥好人呢，可怜之人还有可恨之处呢，所以谁也别说谁了，都不怎么样，说操蛋是都够操蛋的，说好也都有个一二三四五六七，也都不容易，又成和事佬了。穷人犯坏，笨蛋抖攒儿，鸡贼假惺惺看着是真生气，但是人家又碍着谁了？还不是给你们当一乐儿？买的，卖的，都没吭声，没言语，你一个看热闹的，瞎跟着着哪门子急呀？是为序。从今儿起——也不是今儿了，明儿，甭管几儿了吧，写到哪儿算哪儿，聊到哪儿算哪儿，心口如一，这不算，就算矫情，也罢。到此为止。话是说不完的，小声说永远有人听，闻着味儿的来了学了去，就叫文学了。再聊更飞了。九月一号星期六。跟自然比，艺术首先就是赝品了。文学，字儿，以笔画描情状物，首先是视觉艺术一大类了；但是没颜色，缺东少西，写出来就掉色儿，也只能挂一漏万，当心理线条吧。就快唱了。试看今日之世界，声相、视觉双璧齐飞，其他艺术形式苍白也在其中了。如果硬要自我定义，我定此书为阴暗心理小说。但是，光明源自黑暗，光子本为湮灭产物，或曰：现象。

2007 年 9 月 1 日夜

致女儿书

关于咱家我这一方的来历

有一天夜里，看见这样一个画面：夕阳下，一座大型火车站的道口，很多列车在编组，在进站，层层叠叠压在一起，像有人在拉无穷大的手风琴。

你从暗绿色的一节车厢露出身子，跳下路基，圆圆的笑脸，戴着嵌有蓝珐琅圆帽徽的无檐帽，穿着沉重长大的俄式黄呢子军大衣，帽檐和双肩披着一层光芒，是一个远方归来休假的女兵，满心欢喜，迫不及待。

这是你出生的那一刻，你在宇宙洪流中，受到我们的邀请，欣然下车，来到人间，我们这个家，投在我们怀中。每个瞬间都是一幅画，美好的，死亡那一刻也是如此。

你是从画上下来的，我们都是，我们为人之前都是在画中。永恒是一幅无涯的壁画，我们是其中的一抹颜色。

这之后也要回到画中，所以不要怕死，那就像把降落的镜头倒放。

向天上飞去是不疼的，因为你不会撞在一个结实的平面上，是一个没有落点和终点的过程，不结束。是溶在里面，像黄油抹在一片烤热的面包上。到你想找自己，已经渗透开来，在灿烂之中。

你就是灿烂，如果灿烂有眼睛的话。你会看到自己的出生，看到一切，因为这一切原封不动一五一十摆在你眼前。

你会忘了人间的爱恨情仇，因为你已经不是人，无法再动哪怕一下人的感情。

失去感情怎么再记住这一切？在永恒中，人生没有长度，因为永恒没有时间，都在一起，不分你我，不像人可以留意，有属于自己的回忆。

那就是善，泰然的，不针对任何东西，又包罗万象，因而壮美，可叫世界。也可叫我，我们，反正一样。

我们都是上帝，人这一生，是我们精神分裂时的一个浮想。

人生的意义止于人生，你不要悲切，有不做梦的，没有梦不醒的，你要这么看。

我是你叫爷爷奶奶的那一男一女带进梦里的，和你一样，也是别无选择。

我来的时候是步行，沿着一条大江走了很久，也是在夕阳中。

波涛汹涌的大江高出地面，悬浮列车一样闪着光从我头顶无声轻快地掠过。远处的平原是黑暗的，有大块雨云在上面飞播。雨点是闪亮的，移动的，集中射向一块块地方，竟然像探照灯把一片片湖泊、房子和旷野照亮。

中间一度我在水里，那样厚而有弹性的江，伸出很多张脸和撅起来的嘴撞到我皮肤上，在水下也不需要氧气。那时我想，我是淹不死的。

我们生在中国，就是中国人，不必多说。

中国是最早有人的地方，北京这一带就有猿人坐地演化。

最早都是人不人鬼不鬼，披头散发坐在树梢上，喝西北风，一年四季吃水果。忽然雷劈下来，大树一棵接一棵烧起来，像盛大的火炬接力赛。大火过后头上全是天空了，那敞亮，那浩荡，真叫猿猴崩溃，像咱们现在被扒光了衣服扔到大街上。只得蹲在草棵子里，鬼鬼祟祟地行走，一步一瞭望，脖子短的，罗圈腿太严重的，撞进大野兽设下的局，对这个世界的最后印象就是一张血盆大口。腰长的逃进山洞，重新考虑自己的未来。

那实在是一个毫无希望的局面，相当于一声令下咱们都要回到树上或海里生活。根本不是有决心有毅力就能做到的，要从进化做起，重新把自己变一个样子，要调整骨骼，改变比例，换牙，换人生观，从一个吊环冠军有水果吃的飞贼变成一个宽肩膀全世界走路最慢的拐子。相信整整一代猿人思想都转不过弯来，都是在生活贫困和绝望中悲愤去世。也不止一代了，几十万年都是这个情况，身体条件不好，一生下来就是食物链中比较靠前那种。几十万年啊，人类作为大野兽菜谱上的一种食物，像今天的猪羊和果子狸，存在着。谁要在那时候被生下来，真是倒血霉了，多少代的猿人精英还没来得及发展就被吃掉了，或者自杀了——那时如果有人想对这个世界进行思考只能是狂奔出去纵身跳崖或者跳河。

再困难也要活下去，像今天依然能看到那样，最愚昧的人活得最好，是一批傻子支撑着人类，或者用阿谀人民的人爱说的话——是人类的脊梁。

那时候哪有正经吃的，说是打猎，其实是捡剩饭，冒死跟在真正的猎人剑齿虎后面，人家吃完，拣些骨头回家，敲骨吸髓，永远是半饥半饱，哪里谈得上营养和健康发育。

冬天天冷，大雪封山，一出门就是一溜脚印，跟踪别人经常被人家反跟踪，搞不好就被人家抄了窝子堵着山洞像守着冰箱一样样吃。

那时的荒野就像油田，到处火炬，那是下雨雷劈着了野火的树，很好看。

有手欠的，掰下一枝举着回山洞，拢在洞里，既暖了身子又照了亮，砸不烂啃不开的蹄头兽脑也烤焦了，有烤杂拌的香气。

也不用一晚上一晚上不敢合眼守着动静，剑齿虎闻着味儿摸来了，瞅一眼又走了。洞里这帮就骂：操！你也知道怕呀。

这之后人类才有完整睡眠，睡眠好，大脑紧张才缓解下来，才有梦，有夜生活，悠闲、翻来覆去最终导致面对面的性生活，产生缠绵和美好的感受，有质量的性交导致出生率的上升和有婴儿质量的上升，从生理上保证了领袖人才和理论家的出现。

再出来人多势众，举着火把，大家脸上露出了微笑，重新有了冠军的感觉。理论家审时度势，指出：不要再跟着人家后面跑了，没看到它们看到我们都跑吗，我们来给飞禽走兽组织一场赛跑，金牌是活下去，跑不快的惩罚是都变成烤肉。理论家说完，点燃了脚下荒草，同志们一字排开，放火烧山。

那是一个什么样的场面呢，整个山冈、平原都变成烤炉和煎锅，野兽跑着跑着就熟了，油汪汪地躺下，外焦里嫩；鸟飞飞就慢了，就熟了，外焦里嫩；天空中成千上万只鸟笔直地掉下来，像射肉箭，下肉雹子，山头上猿人们欢声雷动。

这回丰盛了，遍地宴席，最高兴的还是小孩子，原来只能流着哈喇子含着手指头看看的走肉，这回都吃着了，吃不了的做火腿和腊肉。

就有皮子了，做衣裳，做弹弓，做小鼓，做小船，睡软和点；骨头也省下了，做箭头，做针，做鼓槌，做号，代替自个儿喊。

再开春，贴河边走，打鼓吹号，一路放火，沿途吃着烧烤和鱼生刺身。

有一天，北京猿人和蓝田猿人会师了，两大主力合为一股，十分自信，就在河边住下了，搭棚子，洗洗涮涮。

两队身后已烧成一望无尽的平原，正有些彷徨，春风吹又生，野小麦从施了草木灰的地里长出来了，一片金黄。

试吃员叫神农氏，把所有植物都吃了一遍，屡次中毒，上吐下泻，接着胡吃，止了泻，于是有黄连素。选举国家领导人的那天，是小麦成熟的季节，放眼望去一片金黄，大家指小麦喜悦地结巴起来：黄、黄……转脸看见刚选出来的这位，又一齐指着他结巴：黄、黄帝。

炎帝是一个纵火犯，到处放火，为黄帝所擒，发挥特长，管理火堆。

当时都不结婚，只知其母不知其父，遇见其他野人，问起是哪儿的，都说是炎黄子孙。

也不排除这二老一个管吃的，一个管生火，哪个女的能睡在火边第一排也是待遇，饱暖思淫欲，权力是最好的春药，女的也愿意找他们，确实是他们生的孩子多，成活率高。

也可能炎、黄就不是一个人名，是官称，职务，粮食局长、饭店总经理、计划生育领导小组组长什么的。求壮大嘛，刚从动物那儿发展过来，优秀传统就是谁身体好谁上，一个成药渣儿了一个接上去，位子不能空了，反正都是一脸泥，都是结巴，在女的眼里都一个德性。那时女的也都是一脸泥，也都不好看，男女找对象都不看脸，谈恋爱也就这几千年陆陆续续听说有这么回事这几十年蔚然成风，由此上溯炎黄五帝到山顶洞人几十万年都是强奸过来的。

“天塌下来有高个儿的顶”，说的就是当时那种原始选举的草率和单一的标准。

王昭君去匈奴，跟完父亲跟儿子，都叫单于。说黄帝活八百岁，那种卫生条件和恶劣环境，我就不信。

第一本房中术为什么叫《黄帝内经》，那个认识，要经过大象量，根本不是一个人能完成的。那是一个职业、一个行当的工作总结，类似《电工手册》。古代的人总比我们离事实更近。

那时候喝面汤，也叫糊糊，疙瘩汤。喝不了的，忘一边了，天热，隔了夜，发酵了，成酒了。有小气的，舍不得倒，一喝，美了。再喝，成醋了。也成。有时糊糊稠了，发酵了，大起来，胡乱再烤，成面包了，巨香无比。从此知道吃干的了。

那时也不论顿儿，饿了张嘴就要吃，来不及发面，直接贴锅上熟的，叫馍，陕西人今天也吃，掰碎了，泡肉汤里。

馒头是再后来，为了省火，下面烧汤，上面蒸面。我小时候，食堂做米饭，都是搁笼屉里一碗碗蒸出来的。

这是咱们北方人，四季分明，一会儿有一会儿没有，要种地，养一些肉，挖地窖，烧土为砖，发展各种手艺和工具，到冬天才能忍过去。

南方人，永远有的吃。果子也可以吃，虫子也可以吃，饿了就上树，一年四季见太阳，所以他们晒得黑黑的，面孔也不急于进化，到今天很多热带人民还处于自然状态。

这是世界范围。

中国南方人大都不是南方古猿的后代，基本是北方跑过去的难民。

潮州人是陕西人，秦始皇原来就讲汕头话。

杭州人都是河南人，西晋“五胡乱华”接着金兵南下一拨拨游过去的。刚去还牛掰，都是门阀世家高级知识分子，终日吸毒终日侃山，喝大酒吃豆腐干，把河南那点糜烂和爱好都化为江南的纸醉金迷和急管繁弦。

广东人、福建人、客家人也是河南人，可能还有山西人。他们那话都带着宋朝味儿，今天是听不懂了，一念唐诗就押韵。

你看广东人，他们吃得那么杂专跟野生动物过不去带有强烈的难民特征。翻山越岭刚到一个地方，当年没收成，只能逮着什么吃什么，猫和老鼠都吃（有记载蒙古统治时期的奴隶动物蛋白补充主要靠鼠肉）。日后回忆起来津津有味，记录在基因里，遗传给下一代。

他们开发南方有功，保存汉族风俗包括封建迷信有功，就一条，嘴贱。

咱们的餐桌上总是不如南方人丰盛。咱们急了眼吃土、吃树皮、吃小孩和姑娘。文明的火炬就这么一棒接一棒被他们传到海边上去了。

中华民族是来自五湖四海的，汉族本身就是一个混血民族。北京猿人一个妈生的，流徙四方，五十万年后都不认得了，再结婚也出现杂交优势。

残酷的过程啊，旱的旱死，涝的涝死，活下来的都是冠军代表队。

到了汉朝，白人的队伍，匈奴来了，全国都在马背上。汉武帝有小布什那样的抱负，在他这一任把所有仗打完，打了三十年，全国户口减半，一个法国打成了加拿大。

经过三国演义，到晋，“天下不耕者二十余年”，成捷克了。扒拉来扒拉去一千六百万人，北方就剩八百来万，一个瑞典。

移民吧，匈奴鲜卑羯氐羌中亚西域老外移进来小九百万，匈奴和羯住山西，氐、羌住甘肃陕西，鲜卑东起辽东西讫青海，已然一半对一半，互相瞧着都新鲜。

新来的总是浑身有使不完的劲，到唐，北京军区司令安禄山就是突厥人，土耳其系列的，河北已经没人会说广东话了，尽操胡语，妇女骑马带弓，扬臂可闻狐臭。

后来蒙古，那也是多国部队，斯拉夫人、匈牙利人、萨拉森人、波斯人、畏吾尔人、犹太人，进中国都叫回民，汉族人觉得他们的眼睛像宝石，给他们起名“色目”。

游牧民族打仗像开嘉年华会，妇女儿童都出来观看，赶着牛羊，马队前面走着五花八门的各国人士。

这之后，谁要说是汉族得脱袜子，小脚指头指甲盖坡平的就不是，汉族都是两瓣。还有一个办法，看胎记，纯汉族生下来屁股上都有两块青。据说还有锛儿头眉际之分，大小双眼皮，总之一笔糊涂账。

皎皎者易污，你看老姜的女儿老崔的女儿，蒙古人种和高加索种生的孩子，牛奶里加鸡蛋，做出的蛋糕就是起司的，老牙色，就均匀。加黑人，怎么做躲不开巧克力。

再往后，下死劲揉中国这团面的是满族大师傅，等于不放奶多磕鸡蛋，到咱们上好几代，一盘子鸡蛋糕——点俩黑葡萄。

咱俩的眼睛一单一双分头来自蒙古和高加索；大脸蛋子来自唐朝；煎锅底一样的后脑勺来自东北满族；红头发来自五胡乱中华。奶奶年轻时一头红发，像宫墙的颜色，他们家五个兄弟姐妹加上父母都是黑头发，就她一人满头燃烧，应该是隔代遗传。到大大，像一染红钢笔水；到我，像蜡烛苗；到你，忽成一顶小草帽。你妈妈深目尖鼻桃子下巴，肤色像可乐加冰，掉进德黑兰卡萨布兰卡闲人堆里就找不出来，他们湖州古代也是水陆要道，元军重点占领的地方，可惜你一点没继承她。

奶奶家这一支姓薛的是从山西跑到辽宁的。从薛仁贵王宝钏开始老薛家就跟老王家联亲，到薛宝钗她爸妈是这样，到奶奶她爸妈还是这样。

奶奶她爸姓薛她妈姓王。

老王家姑娘长得好看自古就很出名，曾经是中国出口的最著名的产品。

山东这块儿有一家，跟江苏姓刘的好上了，姓刘的在汉朝当皇帝，老王家就成了皇后专业户。也是姑妈介绍侄女，一代一代肉烂在锅里。

老王家唯一一回坐天下就是这次吃软饭吃出来的。老王莽，小舅子加老丈人加老外公三位一体，一高兴把小刘的天下端了。开了一很不好的先例。后两朝曹操、司马兄弟都学会了这手，当了大将军就把皇上变成姑爷，先搞成一家人再说。

第一个王朔是汉武帝时的国家气象局长，官拜“望天郎”。知识分子型干部，勤勤恳恳的。后来姑娘们惹出祸来，刘秀这样挨不上边的远房亲戚出来主持正义，朋友也没得做了。

王这个姓，还是火到了南北朝，党校一样出干部出会聊的，很牛逼地谁也不尿，之后一只只飞入寻常百姓家。

"信口雌黄"说的就是西晋老王家一个最会聊的国防部长，"清谈误国"说的也是他。

这是往南跑的。比较惨比较没觉悟的还有一些，"闻匈奴中乐"，和匈奴人对着跑。到晋，辽东地区"流人之多旧土十倍有余"。

这里有一孩子，在蓬莱下了海，本来是去看海市蜃楼，看见了，靠了岸，上去是大连。

这孩子就是爷爷家先人。

爷爷家先人上了岸，走走停停。奶奶家先人这时从张家口过来，也在找幸福。

也不知俩孩子谁先谁后几百年当中，反正都走到鸭绿江边，看见凤凰城不错，落下脚，都别吹了，种地为生。

凤凰城出玉，小时候总听爷爷奶奶说他们是凤城人，到我上小学要填籍贯，爷爷叫我填岫岩，搞不清这地名变迁的由来，大概是解放后重新划县了吧。

爷爷他爸是乡村小学教师，除了教书还种着几亩地，今天说就是"民办教师"。我懂事前这个老爷爷就过世了，家里有照片，抱着大大，后排站着年轻的爷爷奶奶，二叔二婶（从我论），是个留一圈山羊胡子耷拉着皮瘦出骨相的老头，眼神和爷爷晚年的眼神一模一样。

照片上还有爷爷他妈，抱着我，老两口并肩坐在儿、媳们身下。老太太个子不高，有些驼背，佝偻着，头发很多很茂密，整整齐齐梳在脑后；一张长脸，布满皱纹仍显得五官疏朗，一双踮起来的大脚。

这个老奶奶是满族，依我看，从爷爷到我，到你，咱们平头正脸一副正楷的样子更多的是来自这个老奶奶。

东北很多满族，岫岩就是一个满族自治县。看老历史照片，民初时期一个满族村庄的妇女儿童很郁闷地坐在村头晒太阳，那些满族姑娘梳着大辫子或空心高髻，穿着没腰身的大褂，唱戏的不像唱戏的，扫地的不像扫地的。

其中一个一身白挺俊的姑娘回头看镜头，远远皱着眉头，大概就是老奶奶年轻时的模样吧。

这时满族人眼睛中已经全无金戈铁马气吞万里的神采飞扬了。

满族是一个很强悍很电视剧的民族。区区几万壮丁，大张旗鼓两次入侵中原，第一次灭北宋，第二次灭大顺南明，建立起中国最后一个疆域辽阔的多民族大帝国。今天中国的版图，除去民国初年独立出去的蒙古和晚清割给帝俄的远东部分，基本上就是那时清的势力范围沿袭下来的。

一个避暑山庄，把长城废了，把两千年解决不了的华夷之分、农牧之争，一刀抹了。“长城内外是一家”，这个话也只有当年雄视天下的满族人敢讲，汉族人讲了就是汉奸。可以说，有满清一代，中华民族才真正五味调和。

满族这个靠胳膊根儿起家的民族，曾经很残酷地和汉族作战，岳飞故事你知道，清初征服南中国也搞过几次大屠杀。他们刚在东北建国时把当地汉族人不分良贱统统掠为奴隶，这里包括了爷爷的父系祖先和奶奶全家。

两百多年风吹雨打，没人劝，这民族自个儿变成一个爱好文艺和美食的民族，成了败家子、贫嘴呱舌和穷讲究一帮人的代名词。八旗兵跟洋人打仗，都跟北京饭铺里叫盒子菜，瞧着就不像话。

中华民国说是武昌起义打下来的，不如说老袁连蒙带诈讹过来的。隆裕太后和小宣统那娘儿俩脑子都不够使也没人好意思跟他们算账大清国也算善终吧。

之后的满族人就剩典当家产和靠玩意儿混饭了，改出写字的、画画的、唱戏的、说相声的、拉洋车的和倒卧。今天还有几个后代在搞喜剧的。

说北京人能聊，拿自己不当外人，说大话使小钱，穷横穷横的，都是满族人带出来的。辫子没了，语言文字也没了，姓也改了，再脱下长袍马褂，比汉人还汉人。

完颜的汉姓就是王，不太较真的话，我也可以叫完颜朔。

从成功走向消失，消失得这么彻底，汉语拼音乌安——完，这就是为什么说满族很电视剧，大概可以作为犹太人相反的一个例子，可以想象如果他们偏安东北一隅不来君临中原，至今还会有个民族的样子，尽管可能落后得很难看。

一方是几百年熬上来的奴隶，一方是万劫不复的主子，这是咱们爷爷这一血脉的两条来路。

奶奶她爸是个小生意人，算盘打得好，一九四九年以后在沈阳一家商店当会计。她妈是家庭妇女。

爷爷说小时见过奶奶的爷爷，外号薛大烟袋。

奶奶她妈好像也知道一点他们老王家的事，当初爷爷奶奶要结婚时就不太同意，说他们老王家身体不好，担心遗传病的意思。这是爷爷去世后我听老姨奶奶和奶奶念叨的。

爷爷奶奶两家都是多子女家庭。爷爷有两个弟弟，一个妹妹和五个姐姐。姐妹们都很早去世，现在只剩两个弟弟我叫二叔和老叔的还在。一个在沈阳，一个在长春，都得了脑血栓，生活不能自理。

脑血栓是他们老王家的遗传病，包括爷爷一家人大都死在这个病上。大大若活到老年，那样的体形，恐怕也免不了。

奶奶说，爷爷的基因缺陷都遗传给大大了。

我只遗传了一个痛风。这个病传男不传女，所以你是安全的。

话虽这么说，你也要注意，咱们都有发胖的基因。

奶奶有两个兄弟两个妹妹，早年有一个妹妹夭折了。这四个兄弟姐妹都还在。两个姨奶奶你都见过。

奶奶她爸这边大概是小地主，殷实人家。

她妈这边一直混得不好，到她姥爷这一辈还在给人家扛长活。

这家人是当地有名的大地主，姓刘，跟王家有点瓜葛，爷爷的一个姑姑嫁给这家人的儿子当过媳妇，后来死了。爷爷管这家人的儿子叫姑父。

奶奶的姥爷虽然在人家当长工，但和东家关系搞得很好，女儿认了人家老太太当干闺女，和这家人儿子姐弟相称。所以，爷爷的这个姑父同时也是奶奶的干舅舅。

这位姑父兼干舅舅，曾在爷爷奶奶两家生活中起过重要作用。对咱俩来说，最重要的是爷爷和奶奶的认识结婚似乎是这位姑父的女儿介绍的。

和爷爷从不提自己的父母不同，奶奶很崇拜自己的母亲，十分爱说她妈。

我小时候，家里也是和母亲这边亲戚走动得多，两个姨奶奶一来，姐儿几个的一个长青话题就是聊我姥姥。

她们都已经为人母了，聊起妈来仍像小女儿一边叽叽喳喳一边啧啧赞叹。

奶奶形容她妈，用得最多的词是“刚强”。她讲，她妈十九岁嫁进薛家第一个大举动就是在干兄弟的帮助下逃出婆家，去日本找十六岁的丈夫，用奶奶的话说“反抗封建婆婆”。

那个年代，一个农村小媳妇，裹着小脚，不识字，漂洋过海找老公，既是冒险又是丑闻。

奶奶她爸当时在大阪一间丝绸铺子当学徒，挣不了几个钱。奶奶她妈去了，一个接一个生孩子，供一家子，吃不起肉，怕人笑话，奶奶她妈就跟日本邻居说，我们信佛，吃素。

一家孩子都只有一件好衣服，奶奶她妈连夜洗，连夜熨干。第二天穿出去，日本街坊都夸，呦，你们家孩子怎么天天穿新衣服呀。（是不是讽刺啊？）

这帮日本人也是小市民。

咱家有一张照片，奶奶拉着她哥的手和她爸她妈在大阪一个公园里和鹿一起的合影。

都穿得很体面，和洋混杂，是那时日本小资产阶级一家的典型装束。

身上的衣服也许都是她妈刚熨干的吧。

奶奶说这些总是喜不自胜，满脸放笑。她说，姥姥可开明了，那时就说了，女孩子必须念书，将来独立。

奶奶生在大阪，她对人殷勤起来那个劲儿总让我想起传说中的日本女的。

奶奶说，姥爷在日本辛苦了几年，存了一些钱，回东北经商，开了一家铁工厂和一间绸缎庄，发了。

在大连买了海边的房子，“家里天天吃席”。

那时东北叫“满洲国”，是日本人替溥仪做的复国大梦。奶奶说那时她不爱吃肉，只吃水果，对皮肤好。

说自己“最会来事儿”。晚上弟弟妹妹都睡了，她一人等她爸下班回家，她爸总给她带栗羊羹、糖炒栗子什么的。

我问奶奶，全国人民艰苦抗战，你们家日子过得那么滋润，我姥爷不会是汉奸吧？

三姨奶奶说，你姥爷胆可小了，不招谁不惹谁，就是个本分的买卖人。

我问，我姥爷算大资产阶级吗？

三姨奶奶说，小资产阶级小资产阶级。

奶奶说，她们小时不知道自己是中国人，学校全是日本老师，语文课念的是日文。她有一次在大街上看见一个人，同学们指指点点议论，说，瞧，中国人。

爷爷说，亡国奴自个儿不知道。

爷爷一直说奶奶是咱们家的亲日派，奶奶什么事都爱和爷爷戗戗，唯独这件事满不在乎。奶奶确有日本情结，不好讲亲日吧也一向乐以知日派自居。

爷爷不喜欢日本人，日本人在农村比在城市里不是东西。爷爷一提起日本人就称他们“小日本”。但他又说“最坏的是高丽

为人民服务
毛泽东

棒子”。

奶奶说爷爷家是“穷棒子”，这是东北人过去对穷人的蔑称。奶奶一这么说，爷爷就很激动，说奶奶是小资产阶级清高，骨子里瞧不起劳动人民。这在毛泽东时代是很严重的指控，差不多等于说这个人是思想犯。但就在那样的时代，也没见爷爷把家里穷当光荣的事，否则他也不会这么生气。

爷爷的腿上有一大块亮闪闪的疤，我小时候听忆苦报告听拧巴了，认定那是地主家狗咬的。

爷爷说不是，是小时候生冻疮留下的。

我要他忆苦。他说他上到初一就因为家里穷休学了。说大年三十大雪纷飞走很远的山路到地主家借了三十块钱和一袋面回家过年。

我说地主怎么会借给你。他没好意思说地主也不都是坏人，而且还可能是亲戚，还可能出共产党。

爷爷后来参加抗日，进太行山当八路就是地主儿子爷爷他姑父安排的。

那是一九四五年，从关外到关里是国境有海关检查。爷爷的表姐一副阔小姐派头把他带了出去。那时这个姑父已经是共产党方面的高官。

出关前，爷爷在一家粮店当过管吃不给钱的小伙计。跟我说每天的工作是把面口袋吊起来拿棍子抽，抽下的面粉是赚的，然后把成袋面原价卖出去。

爷爷还当过满洲国的警察。这他不说，是“文化大革命”时有一次我偷翻他抽屉看到他写的交代材料。

有一次他打我，说我不学好。我说你还当过伪警察呢。他一下颓了。

奶奶家日本投降后败落下来，铁工厂和铺子被政府当逆产没收了，那也不证明姥爷和日本人有勾结，当时国民党接收大员到了沦陷区，很聪明的发财手法就是扣你个“附逆”的帽子侵吞了你的财产还叫你没处喊冤去。

中国官吏第一本领就是欺负本国百姓，这也是在中国做百姓最寒心的。

到一九四八年，国民党在东北失败，奶奶家已经沦落到靠变卖家产过日子，最后一套细瓷餐具也拿出去换了苞米面，可说是一干二净。

共产党进了沈阳，给老百姓重划三六九等，新词儿叫“成分”。姥爷定的是城市贫民，比无产阶级——产业工人略逊一筹，不属于严办对象，近乎农村无地流民我以为——属不属于联盟基础这要请教党校专家。

这中间出过一件对女的是大事的事儿。我也是最近看奶奶自己写的自传才知道的。奶奶这本自传写得不得要领，通篇如工作简历加思想汇报，只有这件事——堪称隐私——本人作为儿子相当震撼。本想告知你，但奶奶自己说将这段删了——最近。我也只好隐了。你猜吧——照女人最无奈又貌似为家庭牺牲那方向猜。我可不想让奶奶觉得我故意——她已经时而流露、指责我报复她。

我只能告诉你那件事发生的时间：一九四九年。背景：国共东北最后一战，辽沈战役——史称。地点天津。

故事的前半部分是林彪围长春饿死很多人。奶奶一家怕沈阳也被围城，决定姥爷留下看家，姥姥带着奶奶和其他几个姨和舅舅到北平避战。

奶奶是家里最大的女儿，姥姥是小脚，几个姨和舅舅都是小孩，到了北平要紧的事只能由奶奶出面奔走。

奶奶拿着家里最后一笔钱去买粮食，结果被带她去的人，大舅一个东北大学的同学给骗走了。骗术也很简单，那个人带奶奶去粮店，让奶奶在外边等，自己拿钱进去，从另一个门溜走了。

奶奶当时也就是十七八岁的姑娘，在家也是娇生惯养，哪里有什么阅人经验，蒙她太容易了。

奶奶家有一张照片，是他们刚到北平在颐和园万寿山下拍的，奶奶穿着旗袍，一家人里个子最高，挺好看的。

你也见过奶奶年轻时的照片吧，确实很好看，大眼睛，高鼻梁，还有一头红头发。

奶奶一说谁好看都是大眼睛高鼻梁。我问她，你觉得马好看吗？

红头发容易白，我很小就看奶奶染发。一次撞见她刚洗过头，一头花白，以为不是自己妈。

这笔钱没了，奶奶一家人生活陷入绝境。仗还在打，越打越大，关里关外的交通断了，想回沈阳也回不去。

大约在这时，天津一个有钱人家的女儿是奶奶读奉天第一女子国民高等学校时要好的同学，知道奶奶是美人……下边没了。

总而言之，奶奶曾经为家人委屈了自己——能叫牺牲吗吃不准，你定——也没传说中那么自私像你我一样。

奶奶的自传中这段也没细节——没叙事——是论说文。她自称回忆录但所有人名都是假的连她自己在内，我不禁问她：您这是回忆录吗？她倒不是成心，是真没概念，隐去糟心事除了脸皮儿薄——她还文以载道呢潜意识里。她对此经历的不痛快，是藏在我姥姥她妈的一句治家格言——你一定也有印象——里表达出来的，她写道，她一直记着我姥姥对她说的话：女孩子要念书，自立。

奶奶的自传中没有说谁坏话——怕得罪人我以为，老好人儿回忆大家伙就是这么个性质。

还是一九四九年，东北全境解放——台湾那边叫“沦陷”。平津战役、淮海战役已分别结束，整个华北成了共产党的天下，山东人东北人被湖南人湖北人领着饮马长江虎视浙江人，浙江人已然残了，史家讲：改朝换代——革故鼎新。多数人的命运将被改写，但确有少数个别人命运照常，我就听说过几位。（可见历史也不是万能的。）

姥姥一家回到了沈阳，奶奶借考大学离开了天津，还真考入长春的一所军医大学——教会学校改的刚刚。这既是上学也是参军是进步是革命没人敢拦当时——现在哪件事儿是没人敢拦的呢？

我以为这事对奶奶心理造成严重创伤虽然她坚不承认。过去对她那么疯狂工作没事也在医院待着七十了也不肯退休经常讽刺。对她总逼你的功课，动不动把姥姥那句名言挂在嘴边自诩一生就是这句话的写照十分反感，认为她是个缺乏情感被当时阶级伦理彻底洗脑的人——特别是爷爷血栓了之后，我对她照常上班几乎感到气愤。现在看来错怪了她，她其实是个病人。

奶奶曾经跟我说过，她那个年代一般女孩子就是家里有几个钱也大都身不由己，不能掌握自己的命运。

她那一班女同学，日本占领末期就有家里做主嫁给汉奸的。民主联军来了动员走一批。国民党进沈阳又被那些军官娶走一批。都是中学生，被有势力的男人带到不知天南地北去了。

她有个国文老师疑似中共地下人员，私下给她们传鲁迅和苏联的小说看，差点把她动员走。

她十六岁，回家跟姥姥说，被姥姥拦下了。姥姥说你跟那些大老爷们儿钻山沟能钻出什么好。可见她也天真过。她那个时代的人最绕不过去的词儿是“进步”。现在好点了听说，让落后了——你听说了吗？

爷爷死后，你和你妈去了国外。我和奶奶聊过几次天。我说我的一生很明确，是为自己。问她：你呢，你的一生是为什么。

她怔了一下，说：为别人，为那些病人。片刻，赔着小心对我说：我们就是那个时代的产物。

我无言以对。

——2007 年 8 月 9 日补白：我只能说我们这儿曾经发生过一次改变物种的革命。

奶奶军医大学念了三年，去了朝鲜。

朝鲜正在混战，中国站在北韩一边，美国率领的联合国军支持南韩，双方百万战士蚁聚于挂钩形朝鲜半岛腰部互相攻防，从二战式的闪电进攻、跨海登陆打到一战式的堑壕战，整个朝鲜化为焦土仍僵持不下。你知道美国的军事名声的，尤其是他们的空中优势，老姨奶奶说，姥姥得知奶奶去了朝鲜，天天在家哭，怕奶奶叫美国飞机炸着，每日烧香拜佛，求菩萨保佑她女儿。

奶奶回忆这段战争经历倒很平静，说她入朝没多久，双方已经打顶牛了，在板门店签了停战协定，形势一下好了，美国飞机不再到处轰炸。

她在后方医院，最大的不安全就是散步可能碰上渗透过来的南韩特工队，他们医院有过女兵失踪，说是给绑架去了南方。

她说吃得挺好，祖国的慰问品吃不完，前方部队还殷勤地给他们送缴获的美国罐头。

部队伤员也不多，闲来净给当地朝鲜老百姓看病和上山采金达莱。她的日语在朝鲜用上了，那儿的老百姓都会讲不止几句。她说朝鲜的大米比长春的好吃。

从朝鲜回国，奶奶一个疤也没落上，全须全尾儿去了南京一个步兵学校当军医。爷爷在这间步校学习，毕业后留校当了教员。

爷爷这个兵当得也比较顺，一九四五年参军没下连队——连队是真正放枪的——直接进了太行根据地的“抗大”六分校学习。爷爷把这归于他的学历，在当时的八路军里，初中一年级就算知识分子了。

第二次国共内战爆发后，他在刘邓所属王树声部做侦听破译敌电的工作。这个工作是司令部工作需要认字不是一般的聪明但是安全——跟在首长身边，部队只要不被聚歼就没有直接被瞄准的危险。

刘邓在内战中是打得比较苦的一支野战军，担负战略进攻任务，向大别山展开，在蒋管区大后方作战。司令部也要天天跑路。

爷爷在大别山里转来转去时得了疟疾，胃也饿坏了，其他倒无甚大碍，战争局面好转后，以其聪明伶俐改给首长当秘书。

渡江之后，他的首长驻节武汉，他也一直在武汉军区机关。二野后来进兵西南，入朝轮战他都没去。

中间一度下到直属部队一个团里任职，是混个作战出身的意思我猜啊。军队也有同行相轻这种事情，作战的和搞情报的互不服气真到论资排辈的时候——这也是乱猜——这也是中国的文化精神：鱼帮水，水帮鱼。给首长做几年秘书，客气的首长总要给安排一下，严重正常。

他这个团很快编掉了，他去了南京“总高”，见到奶奶。

爷爷后来不太顺，“总高”解散后他来北京重作冯妇，又给首长当秘书。这个首长的山头整个没起来，他也没戏了，几十年泡在参谋、教员的位置上，经常自嘲：参谋不带长，放屁也不响。离休后意气消沉，跟我抱怨：职务也压了，级别也压了。

爷爷奶奶在南京这个相遇也许不是偶然的，这里又能见到爷爷那个姑父的影子。

东北解放后，那个曾带爷爷去太行的表姐又在姥姥家出现了。论辈分她该管姥姥叫大姑。

不清楚这位奶奶也可以叫表姐的表姐对奶奶上军医大学起过什么作用。可以肯定的是面临失学的三姨奶奶，借干舅舅的名儿进了东北一所供给制干部子弟学校就读。这就算有恩了。

这位两家的表姐和爷爷感情最好。对奶奶家的情况也熟悉，见过奶奶。从中促成一段好事，有这个面子，也是顺理成章。甚或可说是亲上做亲。

不管奶奶是不是因为恋爱关系调到南京，反正她在南京很快和爷爷确定了恋爱关系。听爷爷口气，奶奶那时就挺管他的，不许他吃肥肉，不许他喝酒。奶奶说，一九五五年授衔后改工资制，爷爷和一群单身汉狐朋狗友，天天在教员食堂大吃大喝，补解放前亏的。国防大学有一个爷爷当时的死党，四十年后见了奶奶还作大惊状。

不久，奶奶和爷爷结了婚。在自传里她写，她告诉了爷爷她以前的事。爷爷说，没关系。

结婚照片上的爷爷奶奶扛着肩章一个是少校一个是中尉，爷爷端坐，奶奶歪着头倾身从右上方入画。那时兴这姿势。

五几年的军装是苏式的，军常服还配武装带，束腰拔胸，奶奶烫着短发，眼睛明亮。

爷爷不戴军帽是个分头，细皮嫩肉，都不像缺过油水的。

咱们家，大大五官随奶奶；我、你，咱俩是爷爷这一系列的。我到十八岁的照片看出随爷爷。

之前挺不靠谱的，脏孩子不知道像谁。所以你也不用着急，到时间自然出落出来，一定是美女——玩气质那种。

大大一直胖，眉眼是奶奶的，脸蛋是两个奶奶。

大大一九五七年出生，是爷爷奶奶的头生子。那是毛时代最后一个镀金年份。连年丰收，供给充分，物价低，军人工资又高，生活方式全面向苏联看齐。

奶奶按苏联育儿标准对大大进行喂养，半岁就一天半斤肉，奶奶自己说，把大大的吸收细胞都撑大了。他们带着他在中山陵拍的照片，大大就像只小猪。

第二年，他们生了我。八月二十三是个凶日子。福建前线解放军万炮齐轰金门，按迷信的说法，也不知有多少冤魂托生，小时候不觉得，四十以后发现脸上带着一股戾气。

另一个大日子，也是打仗。一九四四年齐奥塞斯库在罗马尼亚发动反对纳粹德国的起义，代号“橡树，十万火急”。看过电影。

此人——齐哥——一九八九年在该国人民和军队的另一次起义中被临时军事法庭即审即决，和他太太一起面对士兵行刑队挨了排子枪，是本世纪——上世纪最后一个按军事礼仪枪决——你的兵瞄准你——的国家元首——简称国首——到目前为止我所知不分国家大小意识形态混同。老萨——达姆被处决时像一个普通刑事罪犯。

这位古典辞世临终神情憔悴如在梦游——有录像——的罗国

前国首我见过。小学中学时上街挥舞小旗欢迎过他，是咱们国家的好哥们儿，大鼻子，鬈毛，媳妇儿特瘦。他一个，北韩金正日他爸金日成一个，阿尔巴尼亚霍查一个，加上流浪的柬埔寨西哈努克亲王一个，是当年咱们国家四大近亲，老来。小时候我一听新闻广播，罗国使馆开“祖国解放日”招待会，就知道我生日到了。

我是南京八一医院出生的，所以护照上出生地要写江苏。那医院我去过，又忘了。实在和别的部队医院譬如你外婆家没什么分别。

南京“总高”原来那个院子在孝陵卫，现在是一所地方理工大学，和你出生的老政治学院 83 号院别提多像了。

能阅几千兵的大操场；庙似的大礼堂；老大爷似的垂柳；一座座岗楼似的宿舍楼教学楼和一扇扇敞开无人的楼门。

唯一不同是操场四周环绕一圈明沟，南方雨水大，走水的，沟里的草又绿又肥。我去的那天，刚下过雨，沟里存着二遍绿茶般澄澈的水。

中国人其实挺愿意省事的，一个时代一张图纸。我站在那个操场边，看着那些似曾相识的旧楼直晃范儿，好像自己随时会从一个楼门里走出来。

世界上很多院子长得一模一样。有一年去慕尼黑边上的达豪集中营，一进去惊了，完全是我在山东即墨北海舰队新兵团待了三个月的据说原来是日本军马厩的那个院子的翻版。

也是一排排钻天杨一排排平房一排排上下铺一排排水龙头一排排抽水马桶——我们是一排茅坑。

关于爷爷奶奶

我不记得爱过自己的父母。小的时候是怕他们，大一点开始烦他们，再后来是针尖对麦芒，见面就吵；再后来是瞧不上他们，躲着他们，一方面觉得对他们有责任应该对他们好一点但就是做不出来装都装不出来；再后来，一想起他们就心里难过。

和那个时候所有军人的孩子一样，我是在群宿环境中长大的。一岁半送进保育院，和小朋友们在一起，两个礼拜回一次家，有时四个礼拜。

很长时间，我不知道人是爸爸妈妈生的，以为是国家生的，有个工厂，专门生小孩，生下来放在保育院一起养着。

每次需要别人指给我，那个正在和别人聊天的人是你爸爸，这个刚走过去的女人是你妈妈。这个事我已经多次在其他场合公开谈论过了，为了转换我的不良情绪——怨恨他人，我会坚持把这事聊到恶心——更反感自己——为止。

知道你小时候我为什么爱抱你爱亲你老是亲得你一脸口水？我怕你得皮肤饥渴症，得这病长大了的表现是冷漠和害羞，怕和别人亲密接触，一挨着皮肤就不自然，尴尬，寒毛倒竖，心里喜欢的人亲一口，拉一下手，也脸红，下意识抗拒，转不好可能变成洁癖，再转不好就是性虐待——这只是一种说法。

十岁出保育院，也是和大大两个人过日子，脖子上挂着钥匙吃食堂，那时已经“文化大革命”，爷爷经常晚下班，回来也是神不守舍，搬老段府之前就去了河南驻马店五七干校，一年回来一次，他的存在就是每个月寄回来的一百二十块钱的汇款单。

奶奶去了一年门头沟医疗队，去了一年甘肃“六·二六”医疗队，平时在家也是晚上八点以后才到家，早上七点就走了，一星期值两次夜班。

上到初中，爷爷才回来，大家住在一个家里，天天见面，老实说，我已经很不习惯家里有这么个人了，一下不自由了。他看我也别扭，在他看来我已经学坏了，我确实学坏了，跟着院里一帮孩子旷课、打架、抽烟、拍婆子——就是和女孩子说话并意图见识她身体。他要重新行使他的权威，通常伴随着暴力，非常有意思的是后来我们谈起这一段的事情，他矢口否认打过我，他记得的都是如何苦口婆心地感化我和娇惯我——有人向自己的孩子一天到晚检讨吗？中国道德最核心的灌输就是要学会感恩——感恩戴德——不信你瞧一瞧看一看各媒体上表演的道学家们振臂疾呼的数量——数他们猛！——但是，是有了，非呢？

有恩也是事实，爷爷——他说，小时候带我睡觉，每天夜里我都要“大水冲倒龙王庙”，说带我去食堂吃饭，我老要吃小豆饭，食堂卖完了我还要，赖着不走，最后他不得不给我一巴掌，把我拖走。有一阶段他很爱说我小时候的事就像我爱说你小时候的事——这是惊奇、惊喜——惊喜孩子长大焕然一新。是人性——正常的。说明爷爷有人性——相对、所剩多的意思。

相对地说，爷爷还是喜欢小孩的，对你就很明显，对我——我失忆了——只是在那个年代他也没机会表达，只能偶尔流露。据他说，他那时下班吃完晚饭经常到保育院窗外看我和大大，有一次看到阿姨不给我饭吃还冲进去大闹了一场。昨天晚上在一个酒吧聊天，一个朋友说老人对第三代好是想通过第三代控制第二代，我们都认为这个说法有点刻薄，大多数人还是觉得是那个时代使那代人丧失了物种本能——我不想管这叫人性。人性是后天的，因为人是后变的，性情逐渐养成——潜入下意识，形成反射，譬如说恐惧。

——趋利避害你认为是先天的还是后天的？小孩可是都不懂危险刚生下来——这个我有经验，必须被环境教训过才知道躲谁。

失掉过本能或者就叫人性吧免得有人矫情，本能恢复——我就叫本能！——当然格外珍惜，看上去感情强烈——像演的。

我对爷爷的第一印象是怕。现在也想不起来因为什么，可以说不是一个具体的怕，是总感觉上的望而生畏，在我还不能完全记住他的脸时就先有了这个印象。

说来可悲，我十岁刚从保育院回到家最紧张每天忧心的是不能一下认出自己的父亲。早晨他一离开家，他的面容就模糊了，只记得是一个个子不高的阴郁暴躁的黑胖子，跟家里照片上那个头发梳得接近一丝不苟尽管是黑白摄影也显得白净的小伙子毫无共同之处，每天下班他回来，在都穿着军装的人群中这第一面，总像是突然冒出的一张脸，每次都吓我一跳，陌生大过熟悉。

他和院里另一个大大任海的爸爸有几分相像，大人下班我和大大任海经常站在一起猜远远走来的是谁的爸爸，有时同时转身魂飞魄散地跑，跑回家待了半天发现爷爷没上来，才觉得可能是认错了人。我们必须及时发现父亲，因为多数家庭都给孩子规定玩的时间，而我们一玩起来总是不顾时间，所以一看见父亲回来就要往家跑，抢在父亲到家前进家门就可以假装遵守时间。

小孩们一起玩时也互相帮着瞭望，看见谁的父亲正往家走就

提醒这孩子赶紧撤，最怕正玩得高兴，身后传来爷爷的吼声：王宇王朔！那喊声真能叫人全身血液凝固。爷爷是搞情报出身的，神出鬼没，我们在哪儿玩都能找到，冷不丁现身大吼一声。上初中时有一次旷课和几个姑娘去王府井东风市场“湘蜀餐厅”吃饭，忽然听到厅堂内有人怒喊一声“王朔”，几乎昏过去，缓过来发现是一端盘子的喊另一个端盘子的“王师傅”，北京话吃字，王师傅仨字吼起来就变成“王缩”。后来我就听不得别人喊“王师傅”，听了就心头一凉，到现在，谁也不怕了，别人喊别人王师傅，我这厢还是头皮发紧。

小时候，院里有两个小孩我和他们长得很像，一个叫北海，一个叫江红。江红家在老段府和我家住隔壁，江红妈妈每次我进走廊都要凝视着我直到她跟前。我就知道她拿不准走过来的是谁。北海妈妈有一次我在食堂排队打饭，上来就抢我的饭盆，我连忙叫阿姨阿姨我不是北海，她才发现认错了孩子，笑着往后面去找北海。

爷爷都吼过人家孩子。

也不是所有人家都限制小孩出来玩，我那时最羡慕的几家，都是母亲对小孩和小孩的朋友很友好，叫自己孩子回家也不恶声恶气的，欢迎小孩到自己家玩，有时还会请来玩的小孩们吃点东西，我们家是著名的不欢迎小孩来玩的，只有几个同单元的小孩是允许来的，爷爷奶奶一回来也要赶紧溜，奶奶是给人脸色看，嫌我们把家搞乱了，爷爷有时会训别人家孩子，他们还不算最过分的，院里有几家大人，看见小孩淘气还打别人家孩子。

爷爷奶奶的理由是：院里很多坏孩子，怕我和大大受他们影响。他们不了解情况，我一直想解释一直也张不开口，我想告诉他们：不是别人家孩子坏，是我坏。我也坏。我们本来就坏到一块儿去了。要说影响，也是互相影响。

爷爷对他认为是坏孩子的院里孩子一点好脸色没有。我有一个好朋友，叫杨力文，是爷爷认为的典型的坏孩子，每次见到这孩子人家叫他叔叔，他理也不理人家，还叫人家以后不要来找我们家王宇王朔。那样的粗暴，针对一个小孩的笑脸，是我小时候觉得最没面子的几件事之一。我十五岁第一次从公安局出来，朋友们为了祝贺我出狱，在我们家窗户下放了一挂鞭炮，爷爷正在跟我谈话，一溜烟跑出去，想逮一个，没逮着，在院里破口大骂混蛋，很多人闻声出来站在门口看他。我觉得他真是失态，心里就算郁闷也用不着这样，从那以后我就对他不怎么尊敬了。

我小时候最恨大人的就是不理解小孩的友谊，把小孩贴上标签互相隔离，自己家孩子是纯洁的羔羊，别人家孩子都是教唆犯，我最好的几个朋友，都被爷爷堵着门骂过，害人家挨家长的打，简直叫我没法向朋友交代，好在小孩间互相有个谅解，都知道大人在这个问题上无法理喻，否则直接陷我于不仗义。直到我进了公安局，成了院里公认的坏孩子，被别人家长当做坏孩子隔离，爷爷自认为颜面丢尽，也不再好意思去找人家。

你小时候有一次，奶奶开家长会回来，拿着小本子一条一条谈你的问题，说到老师提醒你注意和袁航的关系，立刻激起我强烈反感，我跟奶奶说：挑拨孩子的关系真卑鄙。

爷爷的脾气是在“文化大革命”中变坏的，我记得很清楚。

爷爷去世后我曾给自己定了个要求，不要再和奶奶吵架，也是想看看自己能在多大程度上摆脱自我中心主义。很遗憾，又没做到，前几天又和奶奶大吵了一架，也是去扫墓，清明节。我穿了一件砂洗磨边军装样式的上衣，刚买的，伊拉克不是打仗吗，时髦。奶奶一见我就说，你怎么穿这么一件衣服，我不喜欢。我没理她，但已经不高兴了。她又说，你那边蹭上油了。我那衣摆上有一大块黑，油渍状，是装饰。我还忍着。接着她又说，你怎么连件新衣服都没有。我跟她急了，说你管得着我穿什么衣服吗，你管好你自己好不好。她又来那套，你是我儿子我说你几句怎么了，关心你。我大怒，说你少关心我，你怎么还这样，就不会尊重别人，一定要用贬低别人的口气说话，你难道不知道你使别人、一直使家里人都不舒服吗。在这里，我把话头扯开了，扯到爷爷身上，你身上，说她一直用好心欺负你们。我在美国的时候，爷爷给我写过一封信，上面有一句特别让人揪心的话，说“你妈妈对咪咪比对我好多了”。他写这话是要我放心，我写信是不放心你，觉得我逃避责任，要他们对你宽一点，别老逼你写作业，主要是针对奶奶，要她不要给你的童年制造不愉快留下阴影像我一样。我大概是写了一些对她的看法，指她是恶化家里气氛的罪魁，写的时候挺动感情，还流了泪。奶奶回信大骂我忘恩负义，不忠不孝，她一番辛苦养了个白眼狼。当时我就觉得这个人已经不可理喻。

我一直克制着自己，没对奶奶说过爷爷这话，几次话到嘴边又咽了回去，怕太伤她，虽然我猜她可能根本无所谓。那天忘了我说了句什么，也许带出她对爷爷不好的意思，她说，爷爷得病怎么能赖我呢。我主要是拿你说事儿，为什么咪咪不愿意回来，你把一家人都逼走了。她说孩子有错不能管吗。我说孩子能有什么错，能错到哪儿去，是大是大非品质问题还是犯罪。她说我不就是她看电视晚管她吗。我说你别以为我不知道你是怎么管的——你准是冲进去抽风。我说一家人谁对谁真抱有坏心想害人？嘴上不好就是不好，就是全部，不要再跟我提好心这两个字！

我也疯了，一边开车一边嚷，嗓子都劈了。奶奶说，你现在脾气真大。我说，你知道你会给人一生造成什么影响吗，看看我，最像你。我说，你对我好过吗，我最需要人对我好的时候你在哪儿。奶奶冷静地说，你在幼儿园。我说孩子最需要什么，需要理解和尊重，把他当个人，父母跟老师一样，那要父母干什么，还能信任她吗。我没有提爱，那是奶奶理解范围之外的事，她只认对错按她的标准，要一个孩子永远正确就是她的爱。我向她咆哮：家里人都死光了，你居然还不反省，你就当孤家寡人吧。我说你以后你自己跟院里要车去扫墓，我自己去我的。她说你怎么这样。我说咱们不亲密你不知道吗，咱们之间应该客气，你不要再对我品头论足，头发长短，穿什么衣服，一天吃什么，你不要上午给我打电话，你起得早不代表别人也那么早起，我什么时候半夜给你打过电话你要学会站在别人的角度替别人想想。我说咱们是不同年龄的人，身体条件、趣味都不一样，根本没活在同一时代，你管好你自己就行了。我没说、不想太刺激她的心底话是：你过去不当回事，独往独来，不可能今天想要儿子了，就来一个儿子。过去我和她吵架时探讨过这问题，血缘关系不代表一切，你从来不付出，照样什么也得不到，没有谁天生对谁好的。

奶奶不说话了，她现在最怕我不管她。前一阵和她聊天，说我有可能出家修几年密宗，她第一反应是：那我怎么办。她这种凡事先想到自己的本事我真服了。前面说的希望我再成个家只盼我过得好的话立刻不对味儿了。我歹毒地说，你靠自己呗，还抱什么幻想，还不明白人最后总是要孤独。把她说哭了，才说我也就是那么一说，也不见得来真的，再说出家也不是判刑，还能回来，没准我就在家修行了，而且你不还有一孙女呢。

每回气完奶奶，我比她后悔，觉得自己很操蛋，怎么办，毕竟是自己的妈，她就不能招我，一招我我就特别歹毒。清明那天一早她打电话，我都出门了又回家耗了一小时，就因为觉得她催我。后来知道她是颈椎阻碍脑部供血不足忽然晕眩去医院打点滴想通知我，我这边一嚷她一句话没说慌忙挂了电话。好几次我跟她通话，旁边有人都会问我，你跟谁打电话呢这么凶。她是特别能激起我恶的一面的那种人，我对别人，周围的朋友包括半熟脸从来不这样，再瞧不上忍无可忍，也至多是一副眼睛朝天的操行。可能是因为是妈，不怕得罪。可能是吵了半辈子，形成了一模式，好话也不会好说、好听。和爷爷也是这样。其实我不恨他们，我再恨他们的时候只要多一想，离开人，就不恨了。清明第二天我有点内疚，回家陪奶奶吃顿饭，我们俩一起做的，都挺好，我嘴里还是一句好话没有，张嘴就是训她，后来我索性不开口。

也就是这二年，才说奶奶小时候对我不好，还是她起的头儿叫我往这边想，有一次她跟你妈说，要我们多抽一点时间陪你。说我小时候她不常在，所以“你瞧他现在对我们的这个样子”。之前觉得她不近人情，有时庸俗，冲突是价值观的冲突，是反抗专制，觉得她一向在家里称王称霸，不能让她在家里独大，必须再出一个霸王才能生态平衡，让你们这些老实的家庭成员活。之后也不真那么想，只是吵急了眼拿这个堵奶奶的嘴，属于不择手段。平心而论，至少在我小时候，并不觉得父母不跟孩子在一起就是对孩子不好，不拿这个当借口，假装心理有创伤，没那个概念。少年时代，完全不希望父母在身边，走得越远越好，才自由，在一起只会烦我。

以上是二〇〇三年春节到四月“非典”爆发前陆续写下的。“非典”期间社会沸腾，我的心也散了，望文生义地用北京话翻译了一把《金刚经》和《六祖坛经》，接着你回来了，跟你一起玩了一个月，又睡了一个月觉，现在想重新捡起来写，觉得为格式所束缚。我从一开始写作就总是为结构和叙事调子的问题困扰，总想获得一种最自由的表达，写着写着就不自由，容纳不下此刻要说的话。我的意思是说，一件事正写着一半就想说别的，可又不能放下眼下进行到一半的这件事，坚持把这件事写完，就可能越绕越远，中间又生出别的事，永远找不到接口，直到把要说的话忘掉。有的时候只好为一句话推倒重头写。譬如在这篇东西里，我感到我被自己列出的章节束缚了，这一章是讲我对爷爷奶奶的看法，而我时时想离题说点别的，压抑自己真是件很难受的事，关键是注意力也会因此涣散。写作是为什么，我要问自己，还不是要把心里话痛痛快快地讲出来，至少这篇东西只是有关咱们俩的，我说的你总是能听懂，我又何必在乎什么完整性和所谓流畅。我已经推倒重写十几回了，最早的第一章是我对你的一万字大抒情，一个月后再看觉得肉麻便删了，现在又觉得好，也懒得再恢复。现在的第一章是我在定中写的，觉得语气轻浮。这样删下去，永远写不完。昨天还是前天一觉醒来，想起一个形式，干脆用日记体，注明每天的日期，想起什么写什么，写到哪儿算哪儿，第二天情绪还在就接着写，情绪不在就写正在情绪上的，如此甚是方便，心中大喜。渗了一天，今天决定就这样写了，前面写的也不删了，就当做废墟保存在那里，没准写着写着又接上了。这样很自由，如果以后再改形式就再改，他妈的也没人规定一个人要给自己女儿写点东西还要一口气说个没完中间不许换腔儿的。

今天是2003年9月13日。

“九一三”是个很重要的日子对我来说。一九七一年这天中共副主席林彪乘坐的一架三叉戟军用飞机坠毁在蒙古温都尔汗的草原上，官方的说法是他在叛逃苏联的路上不留神掉了下来。林是当时中国的二号神，主席毛最后一个好兄弟。我们这些偶像崇拜者每天都要祝他身体健康。他的这一举动，对当时的我们来说等于基督徒听说耶稣背弃了他的父亲上帝。我还记得我知道这个消息的晚上，距“九一三”几天之后，我们一帮孩子吃完晚饭在老段府的花园长廊上聊天，那个跟我长得有几分像的叫北海的孩子神秘地告诉我们这件事，当时已经在省军一级干部中传达这件事了，他大概是听他爸爸说的。我的第一反应是不信，我宁肯相信我不是我爸爸生的，也不相信老林和老毛会闹掰。我们所有孩子都傻了，包括传谣者北海本人。天渐渐黑下来，我们在黑暗中沉默着。一个更大的怀疑在我心中生起，立刻就把我吓坏了，我相信在场的所有孩子都在想同一件事并且都被自己的想法吓坏了——主席毛怎么不英明了？

我刚一出生就知道毛是全知的，知道什么是对的什么是错的，谁是好人谁是坏人。实际上他也出了一本书叫《毛主席语录》，每当我们不知道怎么做才叫正确时就翻这本书，而且一定会找到答案，小到每天该不该起床，吃饭该不该掉饭粒。我们国家的坏人差不多都是他一个人发现的，这可不是一般的坏人，都是国家主席、总书记、副总理、元帅司令什么的看上去比谁都正经的人。这种神一般的洞察力真是让我们这些孩子佩服得五体投地。他们——中央和老师们后来说，林，主席毛也早发现了，一直就瞧着他不对，把他安排在自己身边就是为了最终让他暴露。对这样的逻辑，我只能承认自己是傻逼了，因为我要不是傻逼，那谁是傻逼？这种事在小孩间经常发生，这种愤怒、伤心的体会我们都不陌生，你把一个人当朋友，后来发现他没把你当朋友。这种挨涮的事情经常发生，碰到这样的事情我从不认为这算自己英明，也从不认为交朋友的目的就是为了有朝一日揭穿他。

从这之后，我认为自己和主席毛的心接近了，他那张神圣、雕像般的面孔变得有感情了如果不能称之为茫然的话。后来我们回忆，一致认为他从那天起一下衰老了再也不像万寿无疆。

也不是一下发生的，经过很多年，我不再相信别人了，特别是那些有崇拜者鼓吹的人。我相信崇拜者是世界上最没价值的一些人，崇拜是世界上最坏的一种精神状态，很多本来还不错，还有些意思的人都是被崇拜和崇拜者变成众目睽睽下的傻剥衣的。

一换形式就滔滔不绝，顺一阵子。能随便写真好。今天我很舒服，就写到这儿。我一顺就懒，就想无所事事地混一会儿。晚上我要去翠微路那边的一个叫“基辅”的餐厅吃饭，听这名字是俄国饭，菜里有很多奶油和番茄酱的那种。我小时候以为所有西餐都是那样的，当时北京的几家西餐馆只卖这种俄式饭菜。头一百次吃，至少五十次我吃完都出来吐。我有很多嗜好都是活活练出来的，譬如喝酒，譬如抽烟，不喜欢，也没需求，只是为了跟上大家。抽烟抽醉的感觉比喝酒难受一万倍，天旋地转乘天旋地转，永远除不尽的也吐不出来的恶心。可见我身上的很多习气本来不属于我，就本质说，我是个纯洁的人，如果有条件，我应该再安静、再瘦、再挑食一点。我跟你说过我的真正理想吧，当一家豪华餐厅的领班，看着大家吃，自己彬彬有礼地站在一边。

2003 年 9 月 14 日星期日

基辅餐厅在翠微路的一个地下室里，晓龙叫我先找水利医院，说这餐厅就在水利医院对面。开车拐进那条路，才想起水利医院就是大大去世并且停尸的那家医院。大大胃疼去水利医院看急诊，坐在大夫对面的椅子上滑到地上，再也没醒过来。这是两年前夏天的事，那天是周末，你正在奶奶家等我们回来吃晚饭。

基辅餐厅很大，至少两三百平米，铺着光滑的木地板，中间留出一块很宽敞的地方给客人跳舞，但是一抬头天花板是漆成橘红色的混凝土框架。这餐厅吸引客人的不是饭菜，是一支由乌克兰国家歌剧院演员组成的演唱组合，他们在这低矮扁平的地下室里唱前苏联的革命歌曲和意大利咏叹调。来这儿的客人都是中年人，有俄罗斯情结的。我们旁边紧挨的两桌男女都会讲俄语，跟着演员的每一首歌合唱，演员休息的时候他们就自己唱，很陶醉而且忘形。点点姐说，好容易翻篇儿过去的情结又被迫找回来了。

那几个乌克兰歌手也是上了年纪的人，有两个完全是老头，其中一个仪表堂堂满头银白发像叶利钦时代的叫什么梅尔金的总理，另一个脸颊和下巴也都耷拉了下来。他们穿着前苏联的军服，有一个上校、一个中校，一个穿裙子的女中校，还有一个元帅，排成一排唱《国际歌》。那个穿元帅服的老头最不正经，一边唱一边朝女士挤眼，还噘着嘴唇吹口哨。点点姐说，俄国人两杯酒下肚就这个德性。我们知道乌克兰是一个独立的国家，我们只是习惯地把他们统称为俄国人。

军官们在我们桌旁唱了几乎所有我们叫得上名儿的苏联歌曲《山楂树》、《喀秋莎》、《列宁山》、《小路》、《三套车》什么的。我点了首《华沙工人革命歌》，这是我觉得最无产阶级最有暴动气息的歌，一听就仿佛看到彼得堡积雪的街道，扛着长刺刀步枪的武装工人排着队迈着沉重的脚步去推翻政府。这歌里有反抗压迫昂然赴死的气魄，我这种已经成为新资产阶级的人听来仍有所触动。我对点点姐说，看来革命先烈的血是白流了，每一滴都白流了。

我克制着自己的感动，因为我觉得这波动不合时宜，也很无聊。点点姐问起一个我认识的以作品具有正义感出名的作家“是真的还是假的”。我说至少他自己认为自己“是真的”。我说了我的观点，当一个人民的同情者——我们用的是“道德家”这个词，是不能光说说的，自己必须过最贫困的生活，把一切献出来包括生命。晓龙说，他认为切·格瓦拉够格。我说我还是觉得甘地、马丁·路德·金更像。我们聊了几句毛，我们都很熟悉他的悲剧，他用暴力铲除不平等和社会不公，有一刹那他做到了，接着他越过高点走向了自己的反面。有的时候我想，这是不是个人品质问题，他有没有机会避免这个结果？比较倾向这无关个人品质，在这种时刻和氛围他没机会。

接着我发现自己开始暗暗不快，有一点阴郁悄悄爬上心头像一只黑甲虫。我开始找这阴郁的源头，也是一个回忆，两年前在另一间叫“大笨象”的俄国餐厅，我和这同一圈朋友在那儿喝酒，也有一支俄国乐队在那儿演出，不过是支电子乐队。我们喝的是“安特”，安徽伏特加，玉米酿的，口味清冽，我个人认为比这次喝的“斯米尔涅夫”还可口。我们一桌人有六个喝醉了。小明姐一直在哭，她丧失了现实感，以为是在小时候，那时她妈妈遭到关押，她吃不饱饭。她哭着央求坐在她旁边的每个人，要他们答应让她吃饱，并且不断地说，我饿我饿呀。那天晚上有一个人，是我的一个朋友，（此处删去一行字）我不知如何反应，因为能反应的都反应过了，这是一个我无能为力的现实，我喝了很多酒但又无比清醒地看着这个现实，就像……就像……我也不知道像什么——就像等着锅里水开煮自己。我想你大概不要听这个故事，这是一个肮脏的故事——我是指我，我在这个故事里表现得十分不光彩就不在这儿跟你讲了。总而言之，这天的气氛和那天的气氛表面极为相似，我有点高兴不起来了，我想，坏了，以后我再去俄国餐厅都会有心理负担了。

2003 年 9 月 15 日星期一

今天起得有点晚，醒了已经是中午一点，又躺在床上看了会儿电视里杂七杂八的节目，彻底起来已是三点。昨天睡下的时候也是三点，晚饭在“昆仑”的新罗餐厅吃的韩国饭，喝了几瓶“真露”和我们自己带的一瓶“酒鬼”，饭后又去“苏丝黄”喝了一瓶“芝华士”。一起吃饭的有位金先生，是搞遥感治疗的，就是拿你一张照片，放进电脑里分析，诊断出你的健康状况，有病就在电脑里给你治了。金先生正在申请美国专利，并且已经在日、韩治了一些大企业的社长，获得了两笔风险投资。在座的还有一位生物化学家，很客气地表示了难以置信。金先生的理论一言难尽，有佛教“空”的概念，有老子的“天人合一”，有气功师们爱讲的全息理论，有量子力学的一些实验现象，有各种退休的老年政治人物表示支持的只言片语和遍布世界的成功病例和伽利略这样曾遭迫害和误解的科学先驱者的著名事迹，主要运用循环论证的方法进行说明，最后自己醉倒。

我最近喝酒有点奇怪，当场不醉，回家也不醉，第二天一觉醒来酒劲才猛地涌上来，甚至去吐前天存的伏特加。这个胃停止吸收了吗?

北京冷了，一年又拿了下来。我认识的一个人去年曾对他的女朋友说过，我就想尽快把这一生过完。当时我们都大了，认为他这句话说得很牛掰。他还说过很多掷地有声的话，譬如“崩溃就是想起了以前的历次崩溃”。

2003 年 9 月 17 日星期三

一闭上眼就在另一个世界里，一个是视觉存在，一个是文字思维，就像电影画面上打出的一行行字幕，字幕消失了，自我也消失了。

2003 年 9 月 19 日星期五

心里很不静，还是不能拒绝金钱的诱惑，收了人家钱不做事，心里不安。我跟你说过我给两家影视公司做顾问，都是很好的朋友，摆明了是借一个名义送钱给你做学费。渐渐地就不踏实了，老想着该做些什么对得起这些钱，白拿人家的钱真不舒服，可要做事就是很麻烦的组织剧本的工作，就要去想平庸——只会使人的智力降低的故事——又为我痛恨。每天都在困扰中，要不要放下小说拍片子挣几年钱去，又信不过自己，之所以我始终没挣到大钱就在于我只能为钱工作半年，半年之内就烦了，必须脱离现实去写头脑里飞来飞去的想法，觉得这个无比重要，上升到为什么活着的高度。如果中国不是意识形态高度管理并且电影严于小说的国家，也许我用不着这样矛盾。年龄越大，容忍度越小，过去还能和他们玩玩，现在连朋友低级一点也看不惯。有一个拍商业片很顺手多少有些急功近利的朋友，前天低三下四地请我写剧本，被我当着另外两个朋友用近乎无礼的口气拒绝了，还顺带贬低了人家一顿教训了人家一顿。其实完全不必，不写就不写呗，何必这样激烈，有点见着㞞人压不住火。不能尊重那些低姿态处世的人，是我的一个毛病，根子上还是欺软怕硬，那些有权势的哪怕是公认的二逼我怎么也没跟人当面急过。这很不好，要么就跟所有人急，要么就该跟所有人客气，有什么分歧谈什么分歧，别假装暴脾气。

本来是一个我有心理优势的事儿，现在弄得我不好意思，觉得做人出了问题。

我越来越觉得我和这个社会有隔阂，有点愤世嫉俗，有这心态应该离人远一点，不要妨碍那些活得正好的人。从别人的生活中退出来既平静又焦虑：平静在自己的本来面目中，焦虑在于按捺不住表态的冲动。最让我难以正视的是，我时时发现在自己内心深藏着一个打不消的念头：退出是为了更大型更招摇地进入。我很怀疑自己不再次卷入世间的争名夺利。我跟你说过我的计划，那也不全是玩笑，这之前我看到另外一个世界并被那个世界吸引后，想的真是活着再也不发表作品。

那个世界完全不同于这个世界，用这个世界的文字进行描写就像用方块字堆砌浮雕，把一座建筑还原为图纸，描来描去框立起一道透明的墙，千万色彩从笔画中倾泻在地，遗失在词句之外。

十七号夜里我们讨论这个问题，猜想那个世界应该是用音乐语言描绘的。我们认为电子音乐具有指令性，是大脑可以翻译的一种语言，当我们听电子音乐时深感到受其召唤和支配，举手摇头，翩翩起舞。那是一种灵魂语言，我们的灵魂都被它嗅出，在那个世界遨游；那个世界根据音乐变化而变化，而成形，而广大，而绚丽，怎么能不说这是一种精心描绘呢？

我们建议一个朋友做这个工作，翻译电子语言。他在电子音乐方面表现得像一个天才，从来没受过音乐教育，有一天晚上初次上来闭着眼睛把碟打得像一个大师，其嗅人灵魂的能力超过世界上所有难拨万的打碟师。我们中有两个音乐学院出来的，一个弹过十七年钢琴，剪过六年片子，和一个澳大利亚缔结好过两年自己也打过两年碟的姑娘；一个是资深电影录音师，都当场拧巴了。

当天晚上我们还商议成立一个公司，签掉这个朋友做艺人，他的名字音译成英文叫“我们赢了”，天生就是一个大牌缔结的名字。

早晨出来外面下倾盆大雨，整个北京显得很奇怪，圆猫在车里一阵阵魂飞魄散。

2003年9月20日星期六

今天脑子里像一个空脸盆。

你小时候有一个本领，进一个都是人的屋子，立刻就知道谁是老大，对这个人笑脸相迎。这是我的遗传。

2003年9月24日星期三

扩张血管和阻断神经一起用就是禅定，扩张是禅，阻断是定。很有意思的神经阻断现象，手腕完全不受控制，随音乐翻飞——马部讲话“像打折扇”，嘴里正常聊天，头和肢体齐脖子断开了，各行其是。

一点体力储备都没有，极度扩张一次几天缓不过来。亢奋之后反应还是极度消沉，心情失去了刻度，整个人生没有意义，人类没有意义，只是一些牵挂和虚拟的处境。知道人为什么自杀了，不是渴望死摆脱生，而是生死无门槛，在同一时间里空间里，待在哪边都无所谓，不能区别两边，互为延长，像阴霾的午后和晴朗的夜晚。轻视活不道德吗？如果世界上只有一个人，也无所谓道德了，显然道德是人群中的游戏规则。我的人群只有四个女的，你们占据着我的感情，是我唯一活着的部分。

你一定要有自己的孩子，我们都不在了的时候好陪伴你。

爷爷和大大在的时候我和他们很疏远，他们走了我很孤单。

不想写了，情绪太灰了。

2003 年 9 月 28 日星期日

我要驾驭自己的幻觉。用扩张打底儿，就等于在幻觉上加一个客观注视，如果能腾出手，就能看着幻觉写。有很多世界彼此交叉。我今天跟裴节讲，你见没见过另外一个世界存在，裴节讲见过。我和他握手说，那我们都是那个世界的见证人了。有一个世界，不服从地球证明的物理定律，不服从人类的伦理道德，不服从全部人类知识。这个世界是用声音描绘的。我怀疑它有意志，因为它在展现自身的同时捎带着把坐在我旁边的一个男人描绘成女人，他有错误。他还在叠化这两个世界的同时，为此时此刻虚构了几个人物。

思想不但变成形象，还构成情节，构成戏剧性，认得出它们。

声音是古老的东西，从永恒传向永恒，经过人间成为音乐，一小部分有返祖现象的人听得懂。他们使用这电子碰撞发出的摩擦声描绘那个世界，要接收它需要用化学的方法，要经过这样的程序，才能调到波段，接收由声音细细描绘的图像。用悦耳的声音传达信息是全宇宙的交流方式。神经已经因为要适应人的艰苦生活迟钝了，被训练得只会对人世发生反应，大部分内存被忽略，必须刺激一下。

主要是放弃人的立场。我们从来存在，从前存在，以后还将存在，只是这一阶段是人。我们有宇宙真相的全部图像，知道所有的事情，一旦精神觉醒，记忆恢复，就是神。这就是为什么全世界不同意识形态的人类政府都禁止的原因。

我是谁？我是人，我的全部知识和价值认定都来自人的生活，到这儿就分裂了。

这个立场叫什么？神的？不准确！什么是最小的生命形式？蛋白质？蛋白质立场？还是人概念了的生命吗？站在蛋白质的立场，人类等于没存在过，谁在乎一个叫中国的地方要富起来，一个叫美国的地方感到伊拉克的威胁。悲剧的概念也是人的，生死永恒都是人看到别人家想出的词儿。

一下子不是人了，这一腔人情往哪里放？

身体还在。精神病不精神病的底线就是能不能应付人类社会。

除了人谁看呀？

两套价值观互相消解，在每一只具体杯子上。一只放在台子上的符合地球引力规定的杯子，伸手一拿，变成一枝花。两个世界同时出现，犹如在一块银幕上同时放两部电影。每一个形状，每一块颜色都失去了必要性。只能有一个是真实吗？是传感器官的差别吧？

一切以人的利益出发，以人为中心想象世界的时代已经一去不复返了。对不起，就是不牛逼。

人一直知道这件事，知道自己是一种低级存在，大堂在别的世界。很多人还记得自己生前的样子，知道一些植物通往外面。

是这几十年我们这里科学蒙昧主义的刻意隐瞒，使人才以为自己只配是人，只有这短短的几十圈转动的一生，之后两眼一抹黑。人生追求太可笑了！人类文明太可笑了！

2003 年 9 月 30 日星期二

刚才睡觉梦见大大了，在小时候我们住过的老段府前院的三间平房里。他买了很多油漆一新的桌子柜子和床。我和他发脾气，问他为什么买新家具不和我商量，我买的家具哪儿去了。他买的家具沿着墙一件挨一件排列着，满满登登。我找不到我的家具。我记得我曾有过一张木材很优良做工精美的黑灰色写字台和几件珍贵的家具在这个家里，都弄丢了。

醒来想这个梦，因为我和他都没有家，他没有家就死了，我只有一个个住处，都不觉得是自己的家。要找家，就找到三十年前，我和大大两个人住过的地方。那是我们第一次住平房，爷爷奶奶都在外地。有一年下大雨，水漫进屋里，我一进门大澡盆从床底下漂出来。

我从来都没有过那样一张写字台，我想有。也没有属于自己带有记忆的家具，我就没买过一件家具。这几十年，西坝河、幸福公寓、万科，还有我现在住的博雅园，都是人家布置好了，我住进去。

家要有孩子，有晚饭。四十五年，一万五千顿晚饭，我和你吃过有两千顿？

植物风一吹就繁殖了，人辛辛苦苦一年最多只能生一个孩子。孩子使人伤心，本来已经放下的，又要转身看，放得下自己，放不下孩子。又要做人。人还是挺美丽的，那样晶莹的质感，跑来跑去飘动的头发，突然嘴一撇滚落下来的泪珠。这么脆弱，美好，一下子就使人生充满了意义，就觉得死也不能解脱，特别特别绝望。爷爷看见你之后去世，这使我觉得还不那么不孝。大大也喜欢你，把你当自己的孩子。很多快乐到今天已不是快乐，你的快乐还是快乐，一想起来还快乐。时光过去了，才发现有过幸福。

小的时候，特别想见到爷爷奶奶，这是我最近才想起来的。我以为我一直都不需要他们，一直很独立，其实不是的。总是见不到他们，习惯了，就忘了。觉得有爸爸妈妈真好的能想起来的是我割阑尾的那个晚上，十一岁，在 304 医院。我动完手术，从麻醉中醒来，昏暗的灯光，他们站在床头，刚下班的样子。奶奶用一只细嘴白瓷茶壶喂我喝鸡蛋汤，蛋花堵住壶嘴儿。我早上在学校觉得恶心，自己请的假，自己回的院，自己去的卫生科，一个战士开车送我去医院，301 病床满了，他又送我去 304，到了就备皮，进了手术室。

在 304，我差点让一条三条腿的狗咬了。它是做实验的，一帮同伙在楼后面卧着，我在花园里溜达，突然和它们面对面遭遇，我傻了，它站起来。我被遇见狗不能跑这个传说耽误了时间，到我转身想跑时，丫已经嘴到了我的脚后跟。和爷爷正在一起聊天的也是病号的一个院里干部看见了，来不及抽身原地大吼一声，三条腿的狗连犹豫都不犹豫掉头溜了，我才幸免。爷爷是不是骂我了不记得了，不管怎么说，这也是一次让我庆幸人有父亲。

2003 年 10 月 4 日星期六

看来还是处于变化中，今天觉得这样写好，明天又想写另外一个东西。主要在几个题材中间犹豫：想用女第一人称写一个感情小说，偏常规的，可以看懂的，打俗人的。女第一人称可以限制风格，也许有意外的表现，出版用陌生的名字，也可以检验一下作品的纯度，不受名声之累。再一个写精神探险，名字叫《灵魂俱乐部》，一些人在那里进行灵魂对话，估计要在定中写，精神分裂了写，才写得出气势。第三个就是眼下这个，给你的遗嘱。

困难在于两个小说都在一块生活上，激发故事的是同一源泉，禁不住想合并，最好是合并，才不自我重复，已经有一本《黑暗中》了，也是同一生活，不能再三。可是两个调子不协调，女第一人称一定是冷静、节制的，灵魂对话一定是疯狂的、狰狞的。

这在我个人生活中是并存的，一个是世俗层面，一个是精神层面，每天交替出现，已经使我逐渐分裂，我不能统一这两个调子，拖一天是一天。这需要一个什么样的故事才能托住这样一个人，一方面细腻比谁都周到地生活，一方面全力以赴地发疯，扑向大脑中的海市蜃楼。

看上去也不是完全不能协调，双重人格嘛。也许应该再等等，会出现一个合适的故事，具有包容二者的结构和反向合拍的叙事调子。还有一个情节是我一定放到新小说里的，就是一帮人死了还存在，在相邻的一条街存在。这情节放到灵魂俱乐部没问题，反而可以帮助一般人理解，问题是怎么和一个艳情小说衔接……得毫无痕迹。简单想就是“一半一半”式的结构，还有没有更佳？

用女第一人称写灵魂恐怕下笔受制，一想到那种状态，完全放开自己尚不能追上思想，再检讨笔墨，会丢掉精彩的句子的。完全放开手脚，又全暴露了。哥们儿的世界观和语言还是很突出的。

最笨的方法就是写起来看，打到哪儿算哪儿，出现什么问题解决什么问题，不怕做无用功。

这就是想毕其功于一役，斩草除根一网打尽大获全胜。这想法使人不自由。

有的时候觉得可以从一句话往下类推着写，写一百万句，环环相扣，实际上没那样长的一口气。《黑暗中》就是这样写的，现在也是这样放任地写，难不成都是这样？

不相信自己了，每天活得太激烈，太冲突，每分钟都有可能全盘自我否定。写了几万句再自我否定太痛苦了。

奶奶写的自传还放在桌子上，没勇气看。现在做什么事都要一个契机，一个发动，要等到那样的时刻，最后一个情境，全是这个念头充斥，一点余地没有，才起床，才刷牙，才开电脑。就生活在这样的极端放纵中。

不知道吃什么每天。下午看韩国电视剧《澡堂老板家的男人们》就想吃韩餐。现在下午要看几眼电视，找胃口，看美国电影想吃牛排，看日本电视剧可以吃日餐，看中国戏什么都不想吃。

昨天到一个四川人家吃他家的川菜，非常可口，是家里饭的味道，比馆子好太多，也不过是红烧肉海带汤什么的。没有家里饭可吃的人真是太可怜了。这是模仿韩剧里老太婆的口气。

我是自作自受，有家的时候把家折腾没了，现在又想吃家里的饭了。吃点维生素吧。

我需要在激动中写作。一个伤口，一想起来就疼的伤口。一个打击，越沉重越致命越有效的打击。这就是我的问题，这段时间太和平。我必须在真实的情感中写，已不能忍受安生日子里的自作多情。

2003 年 10 月 5 日星期日

“绝地天通”就是国家垄断致幻权吧？在此之前人和神是一体的，每天每进行的，饭后睡前，一点都不神秘。这局面很可怕，人人通神，对统治者而言。权力归于祭司和巫师，就可以借

神的名义号令百姓，统一思想。研究古代人的精神世界和信仰起源，不提麻醉品总是说不到点儿上。古人的宇宙观说起来仰观天象俯察大地，也不全是由敬畏、不解产生的猜测，与其说是捕风捉影不如说照猫画虎。他们很知道是怎么回事，深度麻醉一次就知道了。天人合一说的就是微观世界和宏观世界同一，是经验之谈。我就不信人的想象力会凭空发生，相由心生，都在神经丛上携带了，自然界只是借喻，为大意志赋形。

实实在在感受到了大意志，因为其完美，由己推人，不能相信那是任意的，现实太残酷，肉体太丑陋。由山川万物雷电风火想到人自身，也只是想象力迈出的一小步。从这点说，伊斯兰教还是坚持原则的，不为方便理解歪曲真相。佛祖看得很清楚，后来的问题出在和尚要吃饭，搞团结，搞普度众生，什么事一牵扯到人民就为人民左右了。坚持真理就要独往独来，话一说出来就变味，他很清楚，但还要那么做。一部《金刚经》，话已经讲绝了。还要讲，有些经就成了给观世音阿弥陀这些老同志说好话。

没有严格区分先知和神也是一大失策。人民习惯祖先崇拜，面前最好有一个可以理解和自己有关系的形状，明明一大批老一辈无产阶级革命家，求知者、先驱者、觉悟者——佛本人、罗汉、菩萨生前的样子，都被标榜为大意志本尊。

把神——大意志——用人形表示会产生严重误导。会使人认为人可以穿行各个世界各个时空。神是干预人间的，甚至是为人存在的。所以那么多人想长生不老，想上天堂，在死后保持人的乐趣。这就把大意志庸俗化了，把永恒等同于无尽的寿命，把终极归宿理解为人的幸福——可以被充分满足的欲望——就此一劳永逸地获得保障。

多少人是抱着死后可以继续享福的幻想去世的？多少人因此胆大妄为以为背后有人——他的神——撑腰？在空虚中，分子世界，与神同在，他们还记得这一切吗？

在宇宙中，人感到孤独，这是因为我们自创了一个世界，有独特的感官，是感官的孤独。要互相慰藉也只能在相同感官的人群中。仰望可以，但是不可逆，大意志看不见人。

他不是人。他的世界没有情感，因为没有例外和打断，都在规律中，没有善没有恶。情感源自痛苦，痛苦源自失落，痛苦的反面是喜悦，因获得产生，无从失落无从获得，情感便是无源之水。

他本身就是他的世界，没有对象，他也无法在自己当中制造价值。

人是生活困难才有诸多目的。

看了《小鸡快跑》，煮了两个鸡蛋吃。

2003 年 10 月 6 日星期一

或者就是任意的，无论怎样任意地开始只要持续发展总会形成规律。存在只是幸存。最大的平衡在“无”那里。这就要说到涅槃了，取消奇点，连无都没有。很难想象吗？没有物质，没有维度，在数字之前，无从概念。所以人无从发现，或者说无从描述。既然宇宙不是为人诞生的，那他一定不必在处处都符合人的理解方式。如同在澡盆里养鱼，小环境适宜足够了。这个观点大概不新鲜了，人类出现纯属偶然，二十亿分之一的几率。从偶然反推必然，势必穷尽再穷尽，前面永远一片苍莽。

人类还要发展吗？我看算了。

想想还要感谢爷爷，他走出山沟，赌中了一支胜利的军队，使我出生在一个还算体面的家庭。想想看我要是个农民的儿子，在中国这个贫富悬殊歧视严重的国家将受到什么样的刺激。

2003 年 10 月 7 日星期二

恐怕要拿出一生最宝贵的时光向上爬，在城市中混一个位子。一定是充满愤恨的，即便成功了能不能恢复自爱和平常心还是问号。如果习惯了被歧视被嘲笑呢？我身上自有媚骨我知道。

决定了。昨晚睡不着觉决定了先写女第一人称的小说，写一个叫“爸爸”的人发现自己灵魂的故事。女人叫小麦，是爸爸的情人和知己，目击者。书名也想好了，叫《一切都合乎秩序吗》，据说这是德国人过去的问候语。

马上开始。

2003 年 10 月 10 日

把所有可能性代入逻辑。出来以后觉得荒唐。

用全部机会去接近一个人。

2003 年 10 月 16 日

每天睡到下午太阳下去起来，这就是幸福吧，以后一定很回忆这段能睡无所事事的日子。

好像是找到故事了，一直爱的这个人是幻觉，遇到的上帝是自己分裂出来的一个人格。用幻觉人物否定分裂人格，这样一切都合理了，怎么抡也都在里面。用谁否定幻觉人物呢？

2004 年 3 月 13 日

今天晚上吃的是所谓“梅家菜”，其实是很一般的淮扬菜。到西 5 街玩了半夜。今天很大的收获就是确立了物种立场，介于人、神之间，相当于佛教里的“众生”。

站在物种的立场看人，人是停止进化的物种，主动停止进化，发明工具代替进化。不进化就会退化。放在几百万年看，将来人或说进化或说退化——只会有一个大脑，到那时就可以人机合一，人即是电脑。

同样立场，人不牛逼，比人进化快的物种有蚂蚁和病毒。病毒也在进行智力传播。蚂蚁直接把自己进化成工具——兵蚁、工蚁、蚁后。

人以为自己是万物之灵这也只是人自己的幻觉。

我们都在奋力进化大脑。

有宇宙视野，地球视野，人类视野，自我视野，再加一个物种视野挺好。

可以放下上帝的包袱了。这是下一步，上帝太难了，因为他是创造者本身。很难在这个立场站稳。

现在又开始回到人类视野了，这就是下劲了。人是不会大于人的。

太伤心了重新看 2003 年写的东西——2007 年 8 月 9 日。

致女儿书初稿

一

一月四号是大大的生日，奶奶给我打电话，叫我接她去福田公墓给大大和爷爷扫墓。这几个日子，大大和爷爷的生日，忌日，加上一个清明节，都成了咱们家重要的日子，到这一天就要买花，去墓地，算下来上半年隔不了仨俩月就要往八大处跑一回。当初大大和爷爷都有遗言死后不留骨灰不置墓，现在看留还是对的，给活人一个去处，否则叫奶奶去哪儿呢。

去年北京下了百年不遇的七天大雪，今年公墓里还是一片银素，园子里的积雪硬如铠甲，踩在上面也不留脚印，也许真是因为这种地方阴气重，同样照下来的阳光，这里的雪就比别的地方化得慢。大大的墓上已经有两束扎得很细致的白玫瑰，擦碑的女工说上午有人来过，听她讲来人的模样，我们猜是大妈和大大的一个战友。我和奶奶带的花也是白玫瑰，不过没人家拿来的好，头天买来是含苞的，每朵套着网子，一夜放在暖气旁，到早晨也没开，看来是开不了了。爷爷的墓上没有花，他到晚年没有朋友你知道的。他墓后原来的那排桃树也砍了，大概开春要在这片空地上修新的墓穴，买墓地时人家就讲过。墓园里很冷，刮着风，我穿着军大衣走了一会儿身上就吹透了，尤其是脚下，像穿着布鞋走冰。我和奶奶在大大爷爷墓前各站了一会儿，摆上花，听奶奶说我们来看你们了，等她哭出来，哭得差不多，就劝她走了。每次都是同样的过程，她只有这一句话，然后就是站着，捂着鼻子哭，哭完东张西望，看周围的树、花和别人家的碑。表达感情是很困难的事，奶奶还能说一句，我一句也说不出来，心被压在很多层棉被底下，要挂在脸上就觉得像在装，这也是我不愿意去墓地、病房这类地方的原因，每次去都手足无措，回来就要一个人坐着喘半天长气，好像刚去过高原。

晚上我在奶奶家吃的饭，白菜冻豆腐和葱爆羊肉，小颖做的。要过春节了，小颖要回家，奶奶说，小颖不在，她就觉得特别孤单。我看小颖也留不住，奶奶说明年她要回去结婚，小颖也就二十岁吧，这么早就嫁人，也许是他们那儿的风俗。当初还想她能给奶奶当半个女儿，也是自私才这么想。

和奶奶聊天，奶奶说到你，要给你寄压岁钱，她有一些美元，问我给你一千够不够，我说一千可以了。我们都挺想你的，虽然你觉得我们都很无聊。你在这个家才像个家，大家有的忙，所以早说过你是咱们家的主心骨，人物关系都围绕你来，没有你，过个节都成了可畏可怖的事。

从奶奶家出来一路开车都在想你，想你小时候圆墩墩一脸憨厚的样子和那时咱们家吃饭乱成一片的场面。刚上北四环，前面一辆大货车不打灯猛往最里道并，我狂踩刹车狂摁喇叭从它和隔离墙之间千钧一发冲过去，还是感到车被震了一下。大货车司机停在后面下车向我道歉，是个头发立着大衣脏得看不出色儿的河北人，他指给我看后面一辆抛锚横在路上的桑塔纳，说是为了躲它。我下去检查车，没见到剐蹭的痕迹，竭力平静下来，跟他说，咱们都好好的，快过年了。再开车上路，看不见右边了，这才发现右后视镜被刚才那一下撅了进去。你妈开车一贯鲁莽，像开推土机，你坐你妈的车，一定记着提醒你妈锁车，系安全带，美国路况好，车速快，你们每天上下高速公路，出一点事就不得了。你妈说我虚伪，怕老妈子出事，我也分辩不得，怕、心如惊弓之鸟也是实情，觉得现在的太平像画在玻璃上，你们那边稍一磕绊，我这边就一地粉碎。知道你又要说什么，说我还是自私。

我承认我自私，真不巧让你看出来了，但你不是别人，你就是我的“私”，我做自私考虑时都把你包括进来，尽管你可能坚决不同意。照照镜子就知道，你为什么跟我这么像，一看到你我就特别分裂，你妈也说过，真是“活见鬼”。当年你妈刚怀你我就反对生你，知道生了你就完了，当时惧怕的是内心的温情，没想到是这样的一个魔术，让自己看着自己，永远无法安心。

前几天和你在网上聊天，你的一句话真有点伤我的心，你大概是无意的，随口一说，你说，做你女儿真倒霉。还记得吗，你上来态度就很激烈，问我为什么几天没消息，一口一个自私，一口一个白痴。我说你怎么骂人，你说跟我学的，还问我为什么没有老郝那样的朋友。我说你不要当愤怒天使，问你是不是因为是我女儿受到别人什么亏待。你说那倒没有。既然无关别人，那就是我亏待你了。我不是在这儿抱怨，你有权表达你的感受，我不能当一个你满意的父亲，至少可以当一个言论自由的父亲。说伤心也请你原谅，毕竟被自己女儿这样说也不是什么光荣的事。过去我认为只有你妈才有资格这样说，觉得我对你已经比对所有人都好了，把你视为珍宝，想象自己可以为你死，经常被自己感动，也知道你未见得如我一般想，没想到差距这么大。更锥心的是你说得对，我说爱你，其实最基本的都没做到——和你生活在一起。一个女儿对好父亲的要求其实很低对吗，只要他能和自己住在一起，这一条没有，再说什么也只能称为虚伪了。你妈说过，我错过了很多你成长中的时刻。过去我还不太能体会她这个话，现在这句话每天都在敲打我。你妈这话有两层含义，一是替你不平，二是责我不懂人生什么重要。也只有你妈，能一语道出咱们俩的不可分，一份缺失就是两个人不完整。

嘴里说最爱你，实际上从一开始就使你的人生像残月，这就

是我，你讲“倒霉”也不为过。

不知道你有没有想过希望你的父亲不是我。我小时候这样想过，我那时想将来我要有孩子绝不让她这样想。人家讲，当了父母才知道做父母的不容易，我是有了你才知道孩子的更不容易和无可选择。当年和爷爷吵架，说过没有一个孩子是自己要求出生的。想到你，越发感到这话的真实和分量。你是一面清澈的镜子，处处照出我的原形。和别人，我总能在瑕瑜互见中找到容身之地，望着你的眼睛，即便你满脸欢喜，我也感到无所不在的惭愧。你还是婴儿的时候，只要一笑，就像太阳出来，屋里也为之一亮。那时喜欢捧着你的脸狂亲，因为想，大了就不能这么亲了。抱你的时候也想，怎么办，总有一天不能抱了。最后一次离开你们，你妈妈一边哭一边喊你的名字，你不应声，悄悄坐在自己屋里哭，我进你屋你抬头看我一眼，你的个子已是大姑娘了，可那一眼里充满孩子的惊慌。我没脸说我的感受，我还是走了，从那天起我就没勇气再说爱你，连对不起也张不开口，作为人，我被自己彻底否定了。从你望着我的那眼起，我决定既剥夺自己笑的权利，也剥夺自己哭的权利。

很多有过家庭破裂经历的人说，大了孩子都会理解的。我相信。我一点都不怀疑你将来充分观察过人性的黑暗后，会心生怜悯，宽大对待那些伤过你的人。那是你的成长，你的完善，你可以驱散任何罩在你身上的阴影但我还是阴影。在黑暗中欠下的就是黑暗的，天使一般如你也不能把它变为光明。理解的力量是有限的，出于善良的止于善良。没有人因为别人的理解变回清白，忏悔也不能使时光倒流，对我这样自私的人来说，连安慰的效果也没有。

当一个自私的人，就意味着独自待在自己当中，和这个世界脱钩，既不对这个世界负责也不要这个世界对自己负责。自私也讲规矩，也讲权利义务对等，不攀援，不推诿，是基本品质。喜事、成就未必不可以择亲分享，坏事、跌了跟头一定要悄悄爬起来或者躺在这个跟头上赖一辈子。被人拉起来再抱住这只手哭一场大家混过去为真正自私者不齿。做了小人就勇敢地当一个小人，这是我在你面前仅能保存的最后一点荣誉感。

我选择自私，盖因深知自己的卑下和软弱，与其讲了大话不能兑现不如压根不去承当，是苟全的意思。在你之前，做得还好，也尽得他人好处，但始终找借口不付出，沿用经济学概念，将自私视为“无形的手”就是立论之一。这一套到你这儿就不成立了，你是孩子，因我出生，这不是交易，是一个单方行为，在这里，唯独在你，我的自私法则走到了尽头。

如果说我对你怀有深情，那也不是白来的，你一生下来就开始给予，你给我带来的快乐是我过去费尽心机也不曾得到过的，我跟人说过，没想到生一个孩子这么好玩。相形之下，养你所花的金钱微不足道，所以咱们俩要有账，开始就是我欠你。

如果你鄙视我我不能无动于衷，这个世上大概只有你才能让我鄙视自己，所以我比你更迫切需要一个鄙视自己的理由，我怕你轻率地原谅我同时给我借口原谅自己。

离你越远，越觉得有话要跟你说，在你很小的时候就想，等她大一点，再大一点。二〇〇〇年开始我给自己写一本小说，本来是当给自己的遗书，用那样的态度写作，把重要的人想说的话那些重要的时刻尽量记录在里面，当然写到了你，写我们在一起时的生活。写到你时闸门开了，发现对你有说不完的话，很多心思对你说才说得清比自言自语更流畅，几次停下来想把这本书变成给你的长信。坦白也需要一个对象，只有你可以使我掏心扒肝，如果我还希望一个读者读到我的心声，那也只是你。

这种拼命想把自己端出来向你诉说的心情在大大和爷爷猝然去世之后更迫切了，我怕像他们一样什么都不说就离开了。不说，就等于什么也没发生过。我怕被当成另外一个人，这个世界还是很宽容的，至少对死人是这样。我想要你确切地知道我是个什么人，为什么会走到今天，那样也许你有机会和我不一样。我不知道自己的一生意义何在，希望至少有一点，为你的一生打个前站。做人是一件很麻烦的事，所有说法和实情之间都存在着巨大的空隙，好像一生都在和这个东西挣扎，分辨力越强这空隙越深不见底，最后似乎只好把这空虚视为答案和真相。大大去世后，我陷入这个空虚。爷爷去世后，这空虚更无边际。他们是我的上线，在的时候感觉不到，断了，头顶立刻悬空，躺在床上也感到向下没有分量地坠落。我也常常想他们，想他们的最后一刻。我把自己想象成他们，每天都是自己的最后一天，我想在这一刻，我也许有机会明白，我们这样来去，这样组成一家人，到底为什么。

特别怕像奶奶一样，你也知道，她还活着，我也对她充满感情，可我们在一起就像生人一样。

很感激你来做我女儿，在这个关头给我一个倾诉机会当我能信任的倾诉对象。在你还不会说话的时候，你就在暗中支持我，你一直支撑我到此刻。这两年我一样样儿丢光了活着的理由，只有你丢不开。这些日子，是靠你振作起来的。你大概也这样支持了你妈妈。你比你所能想象的还要有力量很多倍对我们来说。不知把我的一生强加给你会不会太沉重。也很难过，一想到我没了之后，你妈妈、奶奶去了之后，你一个人还要在这个世上待很久，为你自己操心，为你的孩子操心，就觉得带你到这个世界上来真是太不负责太自私了。

二

我对人间的第一印象是畏惧。一下子被扔进人群中，在还不知道自己是谁前，先要学会控制自己的生理反应，依照一个严格的时间表进行每天的活动。按时吃饭没有问题，任何时候吃饭总是一件喜事。按时睡觉问题也不大，睡不着躺着也多少是个令人

舒适的姿势。比较麻烦的是按时撒尿和定点拉屎，到时候没有，过了点又来了，这是不以孩子的意志为转移的，特别是在梦里，来了就要搞在身上或者床上。人生而是自由的，天赋权利就包括随地大小便，原始人一定一辈子都这样。你小时候，想在哪儿拉就在哪儿拉，来了感觉正在哪儿玩就在哪儿原地蹲下，地毯上沙发上饭桌上，最缺德一次拉在我们枕头上。我们谴责过你吗，没有。我们尊重你的这个权利。是一次次，不厌其烦地往你开裆裤下塞便盆，再后来是把你往厕所赶。你比我强，只记得一次你在幼儿园尿了裤子，打电话让我们送棉裤。我到部队在新兵连还尿过一次床，打了一天靶，成绩不好，又累又沮丧，晚上情景重演，幸亏天寒被薄，睡觉也穿着绒裤，没在床上留下痕迹。今天我也没学会数着次数尿尿，想尿就尿，怎么可能呢，像火车进站那样准时定点。

当时我不知道这是人之常情，以为我是有缺陷的，爱拉屎，每当一群小朋友在一起好好的，我忽然拉了裤子，我就崩溃了，刚刚获得的一些做人的信心荡然无存。不知道你是在什么情形下有的自我意识，我是在一次次当众出丑中强烈感受到的，我来了，我在这儿，倍儿让人讨厌的一个家伙。

现在都讲人能被生出来是得了冠军，中了头彩，单为此就该对这趟人生感激不尽倍加珍重。我来的时候可没这么想，一点也不像一个闪亮登场。你见我小时候拍的照片都皱着眉头，不高兴，还有一张干脆是哭的，那是我对做人的真实看法。这个世界上来给我一个下马威，吃饭跟抢命似的，每天至少尿一次床，和小朋友打一架，挨老师一顿骂，当众或背地里哭一场，谁也靠不上，只能靠自己，而自己也很不靠谱。

很难，学做人很难，难在收拾，自己是一个烂摊子，不懂也要装懂，沐猴而冠，鉴貌辨色第一要学会。要忍，从生理需要练起，这个功夫练好了，装其他的孙子也就是小菜一碟。送你去幼儿园，不是家里无力抚养，有一种担心，怕在家里长大的孩子将来不能适应社会，也确实看到在家娇生惯养的孩子上学后被其他抱团儿的孩子排斥，变得孤僻，影响了性格。从我这里就希望你具有讨人喜欢善与人相安无事的能力。人的宿命是跟人在一起，我不是国王，可以把你一辈子放在身边，早晚你要离开家，越小越容易得要领，痛苦越少，或者说痛苦是一样的，越小越容易忘记。一般认为三岁就该去学了。小狗生下来为人抚摸，长大就把对人忠诚当做自己的天性。不知道你的内心，看上去很令人欣慰，两三岁就会看人下菜碟，一屋子人你一进去就知道谁是老大，越没靠山越会来事儿，从来不自个儿找亏吃。大家都说你这眼力见儿和乖巧劲儿像我。瞧，一代就形成遗传，到你的孩子，不会生下来就是个马屁精吧。

我是在保育院变成油子的，一件事首先不在于对错，而在于可不可以当着人做，是否能给出一个很好的理由。永远不要相信别人会原谅你，只要有可能就否认一切。打算撒谎最少要有两套方案，一个被揭穿就撒第二个。这就是大人说的两面派。这才能在我长大后非常完整地保存了下来，是我最重要的品格，每次遇到麻烦就是凭借它转危为安，乃至化敌为友。一直有蛊惑和压力让我放弃这才能，书啊知识分子的呼吁以及来自我内心的声音，我都扛住了，没意气用事。经验告诉我，大部分人不配我用诚实的态度对待。诚实大多数时候不会使事情更简单，反而导致尴尬和不必要的浮想联翩。一般会被指为缺心眼儿，同时助长一种极为不良的心态：自大。要诚实，先要有条件，诚实之后别人也拿你没办法。

保育院的快乐都是恶作剧，要么是看人出丑，偶有几瞥同龄女孩的友好眼神儿。孩子的单纯在那里都是粗鲁，没见过通常表示爱意的拥抱和亲吻，对人好也是用侵犯对方的方式表达，只有这样才能和别人的身体接触。这样的环境，对别人始终抱有警惕，要不断判断对方的意图。把人分成两类，可以欺负的和不可以欺负的。和强者结盟，因为和弱者在一起就意味着你也是弱者会跟他一起被欺负，渐渐习惯毫不同情弱者。献媚和屈从是每日的功课，渐渐练出一副巧嘴和笑脸。最困难的是打架，大家看着你，必须打，否则不会被强者圈子接纳。我是胆小的，知道自己不行，还要去，每次去都十分恐惧，硬着头皮坚持。去打架，是我一直到少年时代的最大的噩梦，总怕露馅。八岁时，和大大在楼前跟二单元的屁巍子打架，一棍子打在人家头上，人家没事，我一屁蹾摔在冰上。十四岁在神路街打一个在路边玩扑克的人，人家都失去知觉了，仍抱着人家的头拍砖，脑子一片空白，后来为这事进了朝阳分局。最恐怖的朋友就是到处惹事一喝酒就闹酒炸的。长大后最轻松的就是一个人遇到事可以忍气吞声地走开。我在白塔寺等公共汽车时曾被一个人从车上踹下来，一句话没说。当兵时和一个老兵骂起来，他要动手，我立刻向他道歉。在中央警卫局开的翠微宾馆，我的自行车被看门的撒了气，本来是我发火，人家一发火，我就走了。这是我的性格，苟全性命于乱世，惹不起躲得起，富贵可淫，威武可屈。很高兴你是女儿，这样你就不必受这份考验。

今天我终于可以承认我不勇敢了，面对公然的暴力，一心想的就是怎样逃开，哪怕丧失尊严。我就是人家说的那种软蛋，㞞包，雏逼，一直是。能承认这一点真好。我感到放下一个大包袱。这辈子背着它我真是累坏了。姜文有一次坐出租车，司机说你就是演姜文的那个人，他回来跟我们说这个司机说得真好。我从保育院开始就演自己，演到今天经常要醒一下，告诉自己你不是这样。

上个世纪的中国，人是不可以不勇敢的，尤其是在北方，鲁莽好斗被视为男子气概。历史上的中国，总是北方入侵南方，除了明和蒋政权两个例外。后来也是这个路子，在南方失败，北方再起，靠北方几省子弟由北向南打天下。北方的无聊人，又把这说成北人对南人的胜利，强化了民间北人善战南人善贾的说法，

这在很大程度上迎合了政治家的心思。在这里，你又将看到中国式的宿命，经验思维，跳不出自己的遭遇。政府本身是通过战争上台的，主要领导人前身都是战士，他们用暴力手段达到了改变社会的目的，很成功，当他们想达到更为远大的目标，首先希望统治下的人民个个是战士。尚武便成了那个时代大受鼓吹的气氛。

站在同情的立场上，他们这样想是有苦衷的，这里必须回顾一下中国上一世纪的国情，否则你会以为他们是疯子。不知道你对中国近现代史了解多少，给我感觉你是一无所知，有一次带你路过天安门，问你知不知道毛主席，你说知道，是古代人。只隔一辈就这样遥远，让我心下十分感慨，照你的说法，我也是从古代过来的人。

上一世纪，中国大部分时间处于战乱和人祸当中，兵连祸结直到你出生的第二年。大的外敌入侵有两次，丢了首都的，一九〇〇年的八国联军进北京和一九三七年日本人攻占南京。改朝换代两次，一九一一年推翻帝制建立民国和一九四九年建立中华人民共和国。短命颠覆共和两次，袁世凯称帝一次，张勋复辟一次。国土分裂两次，蒙古独立和溥仪“满洲国”十四年。全国性内战五次，北洋军阀自己直皖奉，国共联合北伐，国共第一次内战十年，国民党自己蒋冯阎，国共第二次内战四年。严格说国共第二次内战到今天也没正式结束，只是休战，演变为大陆和台湾的隔海对峙。

一九四九年以后是对外战争，一九五〇年出兵朝鲜，一九六二年对印度边境作战，一九六八年和苏联爆发珍宝岛之战，一九七三年和南越海军进行西沙之战，一九七九年对越南边境作战。还有从五十年代到七十年代和台湾不间断的炮战、海战和反小股登陆、空降的特种作战。包括六十年代到七十年代的抗美援越。

内乱，一九六六年到一九七六年的“文化大革命”算规模最大、时间最长的。其他——官方假定的周期表是七八年一次，你除去吧。拿四十除。

不光领导人，全国人民都受迫害妄想，而且这被证明总是对的。

所以，我这样的小孩——当年，也认为：我国处于众多敌国包围之中，要准备打仗。我们和世界其他国家敌对到这样的程度，他们不打我们，我们也要去打他们。老死是一件可耻的事。上学是多余的。工作是不可想象的。长大唯一目的就是死或把别人打死在战场上。没人想过要活过四十岁。而且都同意这样一个逻辑，打架不勇敢将来打仗肯定是叛徒，叛徒的下场也是死。

几张照片的说明

本来是准备给女儿个交代的以防万一，写到这里，才知道原不知道自己从哪里来，将来到哪里去，如今在这里只是凭着欲望做一些事，亲近一些人，疏远一些人，利用一些人，伤害一些人，今后也是如此。

这几张照片里的一男一女是把我带到这个世界上的人，过去我认为他们有责任，要对这样一件荒唐的事负责，现在也不这样想了，他们俩也是无辜的，在一个大家都凭本能办事的世界，你又能要求谁怎么样呢？

另外两个人是我最对不起的人，加上前面两个。我帮过很多人，但从没帮过他们，在他们需要我的时候，我给他们的只是冷漠，这是我不能原谅自己的。两个男的已经不在了。两个女的还在，但是我也无法弥补。不管我想多真诚。

我的女儿和我心肠一样，但我知道她不会像我一样，因我已经把事做绝了，是她的前车之鉴，她只会走向我的反面。这使我欣慰。又觉得不道德。

不多写了。我把这文字和照片公布，已经很过分了。我又会受到不顾别人感受的指责我知道。但是不公布我又觉得是一种罪恶。抱歉。

一号照片应该是南京玄武湖，一九五九年以前，我要不是没出生就是刚出生。

二号照片是北京，应该是复兴路 29 号院内。我爸和我哥。

三号照片我不知道在哪儿拍的，应该我不在场。

四号照片应该是一九五五年，我没出生。这两个人也是年轻人以我现在的年龄看。很多人受了穿他们这种军装的人欺负不管戴不戴领章帽徽，被我感受到了。我不想说这是阶级报复——这个词太刺眼，还是价值观复辟吧。但是请放心，我不打算冤冤相报，我替他们还。我希望这些仇恨到我这一代为止。

其余几张照片里的楼房和这些人身上穿的衣裳，就是当年我们的既得利益。

往前看，指日可待；往回看，风驰电掣。这是我对岁月的感受。

少年和中年的分野是，人小树高，看似遥遥无期。

2007年8月23日夜

首版答编辑问（代跋）

问:《致女儿书》很特别,跟你以前的创作都不一样,直接拿自己说事,怎么突然有冲动要对女儿说自己呢?

答:心情倒也没什么特别的冲动,我其实很早就想把过去的生活找个合适的口气一股脑讲在一个故事里,因为它们本来就在一个故事里——我是写自己的那种作者,不虚构,全玩真的,假装是一堆故事挺不诚实的,有点自己骗自己的意思,而且我也烦透了要把一个正在进行的故事找一个结尾变成过去完成时的所谓创作要求。我从前的小说好多是故事刚开始——譬如一九八七年发在你社刊物《当代》的《浮出海面》——却要在小说里预置结局,因为小说必须有结尾,跟自个儿方自个儿差不多我这么虚荣当然不能犯臭写成大团圆,所以经常廉价地使用“死”这种方式结尾譬如《空中小姐》——也是你社首刊处女作——其实也不是处女了,中篇处女;但是招来一些埋怨,因为人都活着,还挺好。有点兜售隐私的意思——我或多或少感到一点压力听到点议论,也是个苦恼。能不能不编故事了，就跟着生活跑，其实死、散，都是简单的办法，过分戏剧化，好像凡事都有个了结其实人活着，都不死，就要面临一个，以后呢？我也不想写太多小说，重复自己是一件可耻的事，最后写一个小说就完了，把自己来龙去脉交代了——对自己交代。

等于实际上我从一九九一年以来这十几年一直在找一个说话的口气，但是一直就找不到，几种口气都不太合适，比如我用第三人称特别客观全知的角度，述说下来一盘散沙，因为好多事情全知角度会非常难受——你并非全知，一写就知道，只能假定读者更晕，看不出幌张儿，这个不是我所欲。

用自言自语的口气，就是第一人称吧，写起来也觉得漫无目的，没有对象也就没了倾诉热情，说给谁听呢？有一年有一天，突然好像想起对她——女儿说，她必须听，就有一个对象了；写自己，谁会感兴趣，不是太自信；女儿必须感兴趣，有一个读者就应该是她，也希望是她，曾经仿佛如获至宝找到通道。

但是你看，讲来讲去，感情太浓了好像也讲不下去了，讲到那么几万字就讲不下去了。另外，当然其实对我来说更关键的是一个结构问题，你要讲一个很长的故事的时候，结构特别麻烦，根本没可能一个视角讲到底，中间不换角度就有视野狭窄症的感觉。《致女儿书》是对女儿讲的，假装真挚的，很亲昵的一对一的私语口气，讲久了局限性就出来了。原来我想的是对女儿讲呢就有所讲有所不讲，有些话就她的理解力不能讲，或者说有些社会禁忌自然地就出来了。因为写作的时候老觉得不太自由，过去那么多年我们对写作有太多要求以后，自己就有很多束缚，你挣脱束缚的过程特别难受，结果后来《致女儿书》是对我自己女儿讲，这样讲下去就觉得太隐私了，而且讲的时候情绪波动太大，对叙事也不好，好像就跳过很多叙事直接抒情了，太浓了就叙事而言，情绪波动太大对叙事也并不好，好多地方跳过叙事直接抒情，就出现这种情况了。所以在后来——忘了哪一年，一怒之下就换成《和我们的女儿谈话》，就换成了别人——方言的女儿，好像情感就能够不那么激动了，所以那个就讲得长点，讲了十六万字，也仍然讲不下去了。因为有些事情也牵扯到其实还是心中有顾忌，好多生活经历过的事情想把它全讲出来，但是你说我再肆无忌惮，我也在考虑社会的接受能力。有些事情社会接受以后反正我也觉得不好，就一直在矛盾，这矛盾一直到今天也没有解决，所以就造成所有的东西都写不完，写到一半，那段写的东西全都是写到一定程度找到一个叙事调子以后，叙事到一定程度后就叙事不下去了。最后就形成了瘢痕，索性有写作痕迹就有写作痕迹吧，这也是没办法的事。作为小说来说，再自由的心态和方式恐怕也没法穷尽生活，我那时候也有个不太对的想法，也是想毕其功于一役，就想把生活全部穷尽在一个结构里恐怕也做不到。比如说写性，我想我现在写我终于可以无拘无束可以都写了，但是写到一定程度，会出现自己心情不是那么稳定，不是那么肯定，我发现我还是挺道德化的一个人，自己开始审查自己，以一个老古板的眼光，就开始犹豫了，自我否定了，会出现这种问题。所以这个书，我私底下当然认为写得是失败的，在叙事上是失败的，基本上技术考虑偏多。

问：当时写的时候你想过出版吗？真是当遗书写的？

答：当时没有想过。实际上当时我得克服自己那种观念上的束缚，其实我自己在写的时候，写到一个句子的时候，所有敏感的句子就是你们可能提到的，我都会在那儿停下来想这能不能通过，因为这么多年来被限制成这样以后，自己就有这个问题，有自我的约束在里头。当然这特别妨碍我讲事情，或者对我要写的东西进行一个透彻的描述。我特别想挣脱这个东西，在写的过程中，当然那时候我自己把自己放下，我想我不发表，这样就好多了顾忌就没有了。但其实仍然有。譬如说，这里头全没有性描写，但我在另外一个小说里头写过。

问：是《和我们的女儿谈话》吗？

答：不是，那个我就没敢拿出来，我就认为不能拿出来，就我现在也认为不能拿出来，因为那个东西我老觉得是个社会禁忌。其实社会禁忌对人的影响特别大，所以当时写，当遗书写，也是一个姿态而已，就是不发表，或死后才发表。这么想你能放开一点，实际上也没有全部放开，也仍然受限制，所谓的道德观念或是什么的。

问：这是私人化叙事范畴里的？

答：当然是，就是不想做宏大叙事或者是观念性的东西做是非判断，做道德化的判断我都不愿意。依据我自己的生活经验，真实是第一的，道德判断根本就不是应该作者来下的，当然我认为读者也没有权力来下道德判断。但我们特别习惯于道德判断，这特别影响叙事，当然我自己不认为小说中谁虚构过什么，都是存在过的东西，不管是在你脑子里还是在生活里存在过。那因此真实描述是第一位的，因为有道德判断在前面之后肯定会做一些隐瞒在里头，或曲笔在里头，我觉得那个都会妨碍别人的观感的，或者自己的，写写就不诚实了。真正把性写真实了又特别难，实际上就是你不习惯讲真话的时候甚至讲真话的方式都找不到了，老实说我碰到的就是这个，因为讲假话的一堆，我们所有的文学技巧其实都是在讲假话，方便讲假话。烘托也好，比兴也好，其实都是为了遮蔽真实，或者把真实美化了，把丑陋的东西写得不那么丑陋了。讲真话想坦白地讲的时候特别困难，它就变成了只有直抒胸臆那么一个直接表达，但是这种简单的表达又不太适合表达复杂的东西，譬如说出现平行的这种心理感受的时候，它在一个叙事中要中断叙事来铺陈心情，讲一层层心情，把叙事节奏就打掉了，所以有的时候就接不上叙事，出现技术上的好多问题。

问：私人化写作跟你以前的社会化写作有什么区别？

答：我觉得，对我来说是一回事，其实我一直认为我是写自己的。私人化写作可能是观感问题吧，譬如说，（问：是内容问题吧？）我觉得不是内容的问题，我写的都是自己的生活啊，我没有写过别人的生活啊，我也没体验过别人的生活啊。因为写亲情，这种赤裸裸的亲情被认为比较私人化，而实际上我也不认为它有多私人化，就说我们那一代人吧，亲情是被严重扭曲了的，甚至空白的。所以我倒认为这本书引起的共鸣可能会超过我原来所有的小说。所以你得从效果上来看它是社会化写作还是从题材上看，当然从题材看我从来认为我是有故事的。当然我认为我的故事具有一定的代表性，当然不只我有代表性，每个人都有代表性，其实越个性越共性，我认为有好多作品不能引起共鸣是因为它个性化不够，它概念化了，概念化是不可能引起共鸣的。

要避免概念化没有别的，只能真实和极端真实，因为每一个细节都是别人不可能替代的，同样的故事不管亲情还是爱情，每个人经历的细节是不一样的，程度是不一样的，必须把最真实的那部分写出来才可能避免概念化，否则真的会掉入概念化，当然道德化也会掉入概念化。

问：你说自己是个自私的人，你有自己做人的原则。但在女儿面前你感到行不通了。这本书也可叫“忏悔录”、“思痛书”。

答：你说的是自私的原则，是吧？凡事当前先替自己考虑。其实，我也是这么做的，我对我女儿也并没有比对别人更好，但是

不一样的是跟她自私时我产生了罪恶感，这是跟别人自私时没有产生过的，差别在这儿了。这个我觉得当然中国人不讲究什么罪恶感，咱们认为自己从来都很无辜，包括我过去也这么认为：错，永远是别人的。我只是在主张权利或更恶劣的：显示公平。

反正我个人认为这个特别重要——有没有罪恶感，对你看清事情的真相特别重要，假如你永远认为自己是清白的，你就永远看不到真相，天经地义也有可能不对。我们讲自私是人的本性，好像是天经地义的，道德评价就放到一边去了，讲利他主义也是在确保自私——生存的前提下讲的，要先活着才能利益他人嘛，一般人都这么说。有一段提倡大公无私，牺牲自己——放弃生存，这个底线算拉高了还是拉低了，分从哪头说。我倒认为共产主义的价值观里头可能比传统儒家价值观先进就先进在这儿了，但显然不合人情没有实施下去，也确实不合人情造成了很大伤害，所以你看现在价值观复辟呼声特别高。但是我就觉得中国一场革命死了这么多人，大家一点进步也不接受，都回到老路上去了，真是血都白流了，回到老路上并不太平我认为。当然不讲缘由无条件牺牲自己，一般人也做不到；硬要别人做，强制别人做，用高压手段压别人这么做，结果只能是集体互相翻脸。价值观本身是先进的，操作过程太猛了，当然这是其他的话题了。但之前谁觉得过自己有罪过啊，大家都觉得自己是受害者，都是生活的受害者，这个当然使我自己觉得，因为没有罪恶感，你会把好多廉价的行为称之为爱，给别人点钱就叫做爱，叫博爱，才不叫呢！就造成满街险象，抓起来一问都是弱者——好人？这种怪事。说实在的，我认为价值观颠倒是造成人无力向善的根源——以本人为例。

问：作为父亲，给女儿写这样一本书，在很多地方惊世骇俗。鲁迅在上世纪初有一篇文章叫《我们现在怎样做父亲》，你是怎样的父亲？

答：我觉得，我当然觉得我做得很不好，其实我真没想过怎么做父亲，假如让我选择，我宁肯选择不当父亲。我曾经以为好像知道自己是谁，给我女儿讲我们家故事写到笔下，才发现压根不知道自己是谁，来自何方，甚至连我是什么种族也搞不清楚，连我爷爷奶奶叫什么名字我都不知道，好多事情不知道，而且往回捋的时候你才会发现我们原来想当然地认为我们是地老天荒就住在这儿的，但实际上不是，是迁徙来的，而且迁徙之远简直是，在这书里我才上溯到炎黄那儿，其实我得上溯到非洲去，炎黄不是周口店下来的北京猿人，我在书里追根儿追到北京猿人实际上是个错误，炎黄不是北京猿人是非洲直立人来的。我们老是强调我们的特殊性，其实我们一点都不特殊，不过“性相近，习相远”而已，只是环境造成了一些差异，把差异当了文化。我们强调文化上的特殊性实际上是没有生物上的根据的，环境变了你可以随着环境变异，与时俱进嘛。你不必坚持你所谓的独特性，您不特殊，您很一般，您坚持的所有的跟别人反着的价值观都是无源之水，当初也是权宜之计，笨笨地承认残酷现实，给现象命名。老实说普世价值在我们身上是适用的，儒家和普世对立的这套等级制君君臣臣父父子子，挺原始的，一点不高明。坚持这一套一有空就拿出来招魂的骨子里这是一种种族主义我以为，暗示我们的种族是独有的，具有不可调和性，且不说是不是优越，中国人太多都是种族主义者我们这里自己人人知道。

这妄想恐怕都进入基因了，可惜它不建立在一个历史真实上面，是建立在一个假象上。最近复旦大学搞的DNA调查我们百分之百的都是非洲来人，跟北京猿人混血的一个都没采到，我们强调自己是龙的传人——爬行动物传人？要不要考证一下个别恐龙和猴子杂交的可能？说给谁听呢彰显自己的无知吗？跟这世上所有人一样很没面子吗？黄是中间色，肯定是黑白混的别不好意思承认了。祖宗之法不可变？祖宗是非洲，祖宗之法、祖宗的规矩是：真相与和解。你还法哪儿啊？道法自然——岂是君君臣臣所能扮演的？

失去了生物狭隘性，我觉得我作为父亲——复制生命接力赛的上一位传手也没有了优越的必要。我可不想当一个野蛮的儒家父亲，愚昧地认为位置靠前判断力就一定准确。孝，实在是弱者之间可怜的互相拴对儿的口头承诺。我的全部经验告诉我，正确的生活态度实在和年龄没关，非和年龄挂钩也一定呈反比关系。父亲所能做的、大发慈悲的就是小心不要把自己的恶习传染给孩子，必须在孩子第一次发问时就学会对他说：不知道，我不懂。

从我们这一代开始堵住这只自上而下索取的脏手，并且随时准备揭发上一代乃至上上无数代的伪善我是这么想的。

一个人失去本质了觉得特别痛苦，但实际上我们原来就没有什么本质，就是一系列的文过饰非这古老史，所有这些画地为牢以为纯粹的描述都是不合时宜的。我希望我女儿将来是个天性解放的不背历史包袱的，也不因为她的肤色她的来历使她到世界其他地方生活有什么障碍。还是说到那句，就是说我们在精神上实际上是无产者，无产者失去的只是锁链，没有一个精神特质失去了你就不能称之为人，或者不能称之为中国人这回事。我想跟她说的其实也是这个，因为她后来到国外去念书，她也面临很多文化困境。我们经常讲的东西方文化困境。我很心疼她，我还是那种古老的观念，在一个正常的国家和家庭，小孩子不应该背井离乡去外国读书，那不是一种发达、可炫耀的事儿。另一方面我觉得那困境——反正已是既成事实了——不是不可逾越的，如果你认为它不可逾越它就不让你逾越。不让出身成为孩子成长的累赘我觉得这是我做父亲的义务，不是教育她的意思，只是想告诉她好多格言都是错觉。

问：噢，原来这个根是这么捯出来的。

答：当然写起来，就是往前捯，是从果往因那儿捯，你就必须捯到猿人那儿去。当然我这本书也有很多东西搞错了，因为当时有好多最新 DNA 测试结果不知道，加上是三年前写的东西后来没看，前面说的那个最近刚做的对中国人一万两千份的调查，复旦大学做的，上星期才公布。原来的历史只聊到我们是炎黄子孙，再往前就不聊了，周口店发现猿人化石就想当然地把它们和我们联系到一块，也是一笔糊涂账我就不说是认石作父了。

问：你是一个懂得推己及人的现代父亲。书里有一句话，“用我的一生为你的人生打前站”……

答：那都是很感性的话。一代人和一代人就是那么一种前仆后继关系，我有了女儿后首先痛感儒家伦理有悖生活切实感受，孩子给你带来多大的快乐，早就抵消早就超过了你喂她养她付出的那点奶钱，这快乐不是你能拿钱买的，没听说过获得快乐还让快乐源泉养老的这不是讹人吗？她大可不必养我，我不好意思。儒家伦常是保护老人的，是保护落后的，是反自然法则的。你看野生动物有养老的吗？老动物们都自觉着呢。实际上养老是个国家福利问题，不是个人的生物义务，生物义务是养孩子，把DNA往下复制，你让他倒行逆施不是人人都有这个反自然行为能力的，你把它规定为法律责任，你因此让他在这个无法完成的任务上产生罪恶感是不道德的。我们的父母这一代丧尽安全感，下意识不自觉——个别人故意——把自己的恐惧传递到孩子身上，家庭其实都破裂了但还拿铁丝箍在一起假装完好。老实说，我这一代孩子身上或多或少都能看到这些破裂家庭关系的影响，多少人家演正常的父母其实已经疯了很多年了。从这个意义上说，往昔历次政治运动的风暴并没有在中年以上人群中的心理上真正平息。中国的事情很镜像，总给人错位倒置感，最后老是要子女原谅父母，虽然大家都很可怜，其间只见强弱关系的转换，亲人之间的忏悔和赦免搞得像做贼，怕丢脸，结果老人鬼鬼祟祟或者假装文静致远，中年发福的孩子都成了伪君子，一家子演戏勤勤恳恳，说起来都默然嘿然家家一本糊涂账。

譬如说家庭暴力大量的是父母打孩子，这何止是不道德，纯粹是犯罪，弱者的残忍。但是在我们的电视上随便一对父母谈到打孩子都不怕承认——坦承，口口声声为孩子好，我谢你了真不知道寒碜特别是父亲；心理学家的规劝都极尽温婉生怕惊扰、磕、碰、贬损了他这权力。善良民俗就认为这是可以的，他拥有这个权力，他终身拥有，不管他走到哪儿，丑恶到什么样，你都要对他尽义务。而且你要强调这个，你就让世代中国小孩这一生得不到他拥有的权利，实际上从一出生就剥夺了他免受屈辱、疼痛的权利。人是条件反射动物，哺乳动物都是。你打次猫试试，狗是奴才，狗能不反抗，猫反抗不了也跟你玩阴的——你怎么能指望这样的小孩组成的国家将来一直是个爱好和平的国家？我们党建军之初就在古田会议上提出不打骂士兵，连队实行民主管理实际是官兵平等这样一个制度，如果我没记错的话是罗荣桓同志提出来的，这是优良传统哟。不打仗了，打孩子——什么情况？一家子老是打来打去也是会伤感情的哟。

在我们这儿，孩子对长辈不敬的事与长辈对下一代的虐待相比是不成比例的，父母普遍虐待孩子或虐待过孩子，而子女反过来虐待父母的屈指可数最多是不爱搭理，因为父母的权力大得多，父母打孩子社会不认为是不正常的，国家也不干涉，但是孩子不体谅父母，社会就一片哗然，我认为这是不公平。这体会我自己有了孩子更深感到所谓父母之恩之虚幻，是旌表包裹自私举到云端的欺世。赡养老人当然是一个义务，我的意思也不是就不要赡养老人，但那种东西是国家的义务，不能转嫁到公民身上去，国家不许逃避责任！独生子女他们也没有能力这么管呀，一家四个老人、八个老人就是所谓亲情慰藉——走面儿，他都走不过来净剩落埋怨了，包括老人最后的瘫痪在床生活不能自理垂危火葬入土。一个孝子正经一点我以为每个月至少要去医院一趟陪护扫墓什么的——将来。你看现在这社会仍然在或明或暗地给孩子们施加压力，常回家看看呀如何如何呀，多陪陪老人呀，这东西会变本加厉的，解决这个问题你不能又建立在一个错误的认识上：你不这么做就是犯罪。那我觉得解决不了这个问题。做父母的都是成年人了，至少从我们这一代开始父母应该懂事、自尊，应该知道人的生老病死是人必须经历的，我作为成年人得自己去扛这个事，国家当然应该统筹一下，在我能挣钱的时候就把后事安排好，这实际上是一个服务的问题，反过来要求孩子不太好。我觉得中国人的家庭关系不太正常，孩子承担这么多的义务，父母拼命来要求孩子，说什么赢在起跑线上我特别讨厌这种说法，把孩子训练成一个赚钱机器，这就叫成功，表面是为孩子好，其实是想自己将来有个靠山，无情剥夺孩子童年的快乐。这是一种颠倒，颠倒的人性，这不是爱孩子，所以就会出现那样奇怪的逻辑，就是我为你好我可以打你，我爱你我打你。我靠，不带这么聊天的。（笑）你说你爱我，其实我很清楚你骨子里是脏心眼，是叫我将来在你老了失去劳动能力后保障你——你不肯学习意味着你将来不打算为我的衰老负责任。你看这么多父母都快——已经——把孩子打死了。我靠，您这不是爱，爱是不能交换的，无条件付出，不要回报，想都不想，起这念已是罪恶了，付出中已经达成次级回报——快乐奖赏了；跟牺牲肉体放弃清白遗臭万年享受痛苦那种境界又怎么聊呢——听都没听说过吧？我国人群的基本价值观是混乱的，混沌不明的，越老越不懂事。

问：这本书你女儿看过吗？

答：没有。

问：从目录看你只写了计划的前两章，没有完成它。

答：因为后来老实说，我的那点勇气也已经耗尽了，这里头其实涉及点隐私。这些人都还在，再往下写，我觉得涉及的人再多的话，说实在的我有点担心，我认为我女儿不会说什么她不满最重的口头语就是：太过分了。但涉及的成年人未必会如孩子般谅解我，年龄越大的人面儿越薄你没发现吗？自我往上年代的人都特小心眼，越没什么越盼什么，对什么越敏感……其实家庭成员

民事审判庭
民事审判庭

之间的情感冲突是最激烈的，因为大家之间没有什么顾忌。中国人好像聊这个是把它视为家丑，我认为根本不是什么丑，这证明中国人是有情感的，在家庭里头才能显示情感，当然大家可能认为情感就是互相容忍，但我认为那不是情感是客气，真正的情感只有在冲突中才表现出互相的情感深度。其实大家都很没面子老实讲，谁有什么面子啊我都不知道，但大家都维持一个默契好像不说就都有面子。当然我自己也不是天天有勇气，所以我不再往下写了。我现在什么心理啊，挺矛盾的，比发表别的小说不安，反正我就想看看大家有多正经就想看看，等着看别人说我如何地不顾别人感受呀，等有人认为我涉及其他家庭成员不懂尊重人呀什么的。但是我不在乎，我就想看看大家什么反应呢，没什么了不起的，最多就是得罪得罪，反正早已经得罪了，互相得罪而已，别假装好像挺好的。（笑）谁要觉得被得罪了，活该，就照死了得罪。骂人身体健康。

写了嘛我文责自负，我的梦想是成为一个社会禁忌。（笑）谁都不好意思公开谈论，觉得好像谈论我犯了什么大忌似的。

问：所以《致女儿书》〇三年写了以后放了这么久才拿出来也跟你今天的心理状态有关。

答：对呀，后来包括《和我们的女儿谈话》《跃出本质谓之骇》呀都是后来写的，基本上每年都要把脑子里的事重写一遍，想找一个新的叙事方式，哩哩啦啦地发现也写得差不多了，就这样吧。（笑）不必再合在一个大叙事框架里头，这是过去那种文学观念造成的，好像一个文体有它文体的纯洁性和完整性，其实在今天这个密克斯的时代根本无所谓了，都跨文体了，反正把事说清楚了感受说清楚了就可以了。包括那种很可笑的自我束缚的观念，什么长篇小说怎么也得十二万字以上，今天显然不能成为理由是吧，就是特别形式化，下意识里就有这么个概念，这么简单要破掉它，说实在的我花了多少年啊，花了二十多年才破掉。什么长篇短篇，差不多就行了，有感而发写哪儿算哪儿，今天破了你觉得这事特可笑，可当时你就不这么想了，觉得不到十二万字就算没完成就搁下了。我都不知道是不是还有很多真实可怕的东西就是因为不合发表体裁都没有拿出来压在各家箱底儿了。原来出版社门槛太高，势利眼，网络时代就可以了。

问：你现在的创作应该说有一个比较明显的变化，就是自主意识更强了，找到了更适合自己的表达方式，更自信了。

答：当然有变化了。其实是更自信了，就是我原来老实说是要照顾读者，就是有包袱必把包袱给抖了，追求效果甚至不惜破坏节奏，就是话都说得特别满。因为你把话说得满了，很多其实不属于这个故事的话，花哨的东西，就加了色儿了，很多读者会给你廉价的好评。觉得逗读者乐特别有意思。可那么写的时候，老实说你写作的动机就不真诚，写写就不真诚就变得油滑了。后来，当然也跟那个时候写作的目的不一样，那个时候还是沽名钓誉，不是说现在不沽名钓誉，就是说那个时候主要目的是沽名钓誉，效果是重要的自己不重要。写这个的时候是当不发表写，写得就不一样了，再加上有了罪恶感写和没有罪恶感写，跟以前不一样。同样的事情他怎么感觉是不一样的。

问：现在你的创作可以称为向内转吗？就是完全追求一种个人内心生活的独立性。

答：对，因为后来我发现有一个“宇宙同构”的道理，就是说同一个世界，就是社会上的东西全都可以集中到内心中来，不必借助外部的东西，过分地诉诸客观的因素吧就会把它情节化了，情节化的东西我觉得会影响认识，而一般的社会生活相似性太强了，大家也无非都在吃饭聊天，泡吧什么的，所以我看现在那些年轻作家他感受很真实，可是有相似感，因为生活太相似了。过去我们中国人的生活在毛时代是有它的独特性的，所谓地域性特别强，你(的写作)就可以建立在地域上，包括农村生活，普遍地跟城市生活是不一样的，好像农村生活你从情节上看它就不一样，现在这个地域性被冲淡了，你不管内心的话你借助外部你天天在饭馆里聊天，酒吧里聊天、泡妞什么乱七八糟的，最后说的话会趋于一致，你碰到的感受、受到的困扰都一样，就没有你自己存在的必要了。甚至就是说每个人好像只能写一本小说，写到第二本就开始重复了。我当然也碰到过这种东西，我也有过自我重复的东西，所以你必须只有内心的丰富才能摆脱这些生活表面的相似。当然在描写内心的时候，你也有拿感性的东西写还是拿理性的东西写的问题，看上去拿感性的写舒服，但是他太缺乏理性就会叙事不长，叙事不长就没有节奏，在里头就没有支点，情绪发泄完了之后就不行了。而且情绪在一天中是不停起伏的，情绪高的时候写什么都有意思，情绪低的时候怎么看都没意思，用情绪是支撑不了太长的写作的，好像这是永远解决不了的。只能是不停地乱写吧，情绪高的时候就写，情绪低的时候就不写，只能这样。看似杂乱无章，其实写到一定规模的时候，它方方面面就显示出一种呼应来了。

问:感觉你现在怎么写,写什么都能成。

答:我现在在写的时候也有自由感了，就是，这其实跟追根有关系，就是追到根上再往回写，特别好写。之前假如停留在生活的印象中写，写写就收不起来，就会出现好多廉价的感慨，廉价的感慨可能每一个作家甚至那些写歌词的人都能发出来，那我其实觉得你要自己写作有存在的必要的话你怎么也得有点跟别人不大一样吧，对吧？就不说高低了，你得跟别人不一样。你要跟别人一样、相似的话，就会打击自己的自信，这个甚至我都不认为是多么深入的问题，就是功利性的要求，你就是为了功利目的也得这样。你要跟别人完全一样就没必要存在了。

说实在的，到上个礼拜我的认识才告一段落，在写这书的时候都算在认识的过程中，但比过去的认识深了，处理的题材还都是这类题材，个人生活有什么区别呀，都在家待着呢。

问：你还有什么要补充的吗？

答：我没有了。说真的，我特别犹豫，原来我想再写一点，但也不想写了。这里头，我也需要一个勇气，我的勇气也有限。简短点吧，说多了反而言不由衷。最后想对我妈说声：对不起。要是冒犯了谁使谁不痛快了请你这么想：反正咱们也不会永远活着，早晚有一天，很快，就会永不相见。

2007 年 8 月 28 日下午

王朔主要作品年表

【1978 年】

《等待》（短篇小说）发表于《解放军文艺》第 11 期。

【1982 年】

《海鸥的故事》（短篇小说）发表于《解放军文艺》第 8 期。

【1984 年】

《空中小姐》（中篇小说）发表于《当代》第 2 期；

《长长的鱼线》（短篇小说）发表于《胶东文学》第 8 期。

【1985 年】

《浮出海面》（中篇小说）发表于《当代》第 6 期。

【1986 年】

《一半是火焰　一半是海水》（中篇小说）发表于《啄木鸟》第 2 期；

《橡皮人》（中篇小说）连载于《青年文学》第 11、12 期。

【1987 年】

《枉然不供》（中篇小说）发表于《啄木鸟》第 1 期；

《人莫予毒》（中篇小说）发表于《啄木鸟》第 4 期；

《顽主》（中篇小说）发表于《收获》第 6 期。

【1988 年】

《痴人》（中篇小说）发表于《芒种》第 4 期；

《人命危浅》（中篇小说）发表于《蓝盾》；

《毒手》（短篇小说）发表于《警坛风云》；

《我是狼》（短篇小说）发表于《热点文学》；

《各执一词》（短篇小说）发表于《文学故事报》；

中篇小说集《空中小姐》由中国青年出版社出版。

【1989 年】

《一点正经没有》（中篇小说）发表于《中国作家》第 4 期；

《千万别把我当人》（长篇小说）连载于《钟山》第 4、 5、 6 期；

《永失我爱》（中篇小说）发表于《当代》第 6 期；

长篇小说《玩的就是心跳》由作家出版社出版。

【1990 年】

《给我顶住》发表于《花城》第 6 期；

《王朔谐趣小说选》由作家出版社出版。

【1991 年】

《我是你爸爸》（长篇小说）发表于《收获》第 2 期；

《修改后发表》（中篇小说）发表于《小说家》第 4 期；

《无人喝彩》（中篇小说）发表于《当代》第 4 期；

《谁比谁傻多少》（中篇小说）发表于《花城》第 5 期；

《动物凶猛》（中篇小说）发表于《收获》第 5 期。

【1992 年】

《你不是一个俗人》（中篇小说）发表于《收获》第 2 期；

《懵然无知》（中篇小说）发表于《都市文学》；

《许爷》（中篇小说）发表于《上海文学》第 4 期；

《过把瘾就死》（中篇小说）发表于《小说界》第 4 期；

《刘慧芳》（中篇小说）发表于《钟山》第 4 期；

《千万别把我当人：王朔精彩对白欣赏》（王朔、魏人合著）由人民中国出版社出版；

《过把瘾就死》（著名作家新作大系）、《王朔文集》（纯情卷、矫情卷、谐谑卷、挚情卷）由华艺出版社出版；

《我是王朔》由国际文化出版公司出版。

【1993年】

《海马歌舞厅：四十集电视系列剧》（电视剧本选集）、《青春无悔：王朔影视作品集》由中国社会科学出版社出版。

【1995年】

《王朔文集》（1—4卷）由华艺出版社出版。

【1998年】

《王朔自选集》由华艺出版社出版。

【1999年】

长篇小说《看上去很美》由华艺出版社出版。

【2000年】

《美人赠我蒙汗药》（对话集）由长江文艺出版社出版；

《王朔最新作品集》由漓江出版社出版；

《无知者无畏》（随笔集）由春风文艺出版社出版。

【2001年】

《文学阳台—文学在中国》、《美术后窗—美术在中国》、《电影厨房—电影在中国》、《音乐盒子—音乐在中国》等“文化在中国”网站系列丛书由上海文艺出版社出版。

【2003年】

王朔文集（包括《顽主》、《过把瘾就死》、《我是你爸爸》、《玩的就是心跳》、《篇外篇》、《橡皮人》、《千万别把我当人》及《随笔集》）由云南人民出版社出版。

【2007年】

小说集《我的千岁寒》由作家出版社出版；

长篇小说《致女儿书》由人民文学出版社出版；

小说随笔集《新狂人日记》由长江文艺出版社出版。

【2008年】

长篇小说《和我们的女儿谈话》第一部发表于《收获》第1期，并由人民文学出版社出版。

图书在版编目 (CIP) 数据

致女儿书 / 王朔著. — 北京 : 北京十月文艺出版社，2016.6
（王朔文集）
ISBN 978-7-5302-1569-2

Ⅰ. ①致… Ⅱ. ①王… Ⅲ. ①王朔—自传 Ⅳ. ① K825.6

中国版本图书馆 CIP 数据核字（2016）第 057324 号

致女儿书
ZHI NVER SHU
王 朔 著

出　　版　北京出版集团公司
　　　　　北京十月文艺出版社
地　　址　北京北三环中路 6 号
邮　　编　100120
网　　址　www.bph.com.cn
发　　行　新经典发行有限公司
　　　　　电话（010）68423599
经　　销　新华书店
印　　刷　北京盛通印刷股份有限公司
版　　次　2016 年 6 月第 1 版
　　　　　2022 年 10 月第 11 次印刷
开　　本　850 毫米 ×1168 毫米 1/32
印　　张　4.75
字　　数　80 千字
书　　号　ISBN 978-7-5302-1569-2
定　　价　32.00 元
质量监督电话　010-58572393